Cilmi-boodhari
Caashaqiisii

Maxamed Xirsi Guuleed (Abdibashir)

KA SOO RAADI

Qofkii danaynaya buuggan ama haya wax talo iyo tusaale ah oo ku saabsan buuggan wuxu naga soo raadin karaa ciwaannada hoos ku qoran:

abdibashir@hotmail.com

www.somalibooks.org
www.abdibashir.nu

© MXG Abdibashir
Sweden, Stockholm 2014
Eurosom bokförlag
ISBN: 978-91-982116-0-3
First Edition

TUSMADA BUUGGA

(1) QISADII JACAYLKA CILMI BOODHARI OO TAXAN

DEECAAMINTA GABAYADA CILMI-BOODHARI

1.Caashaqa Haween (1)

Caashaqa haween waa hora, Caadil soo rogaye
Sayidkii carshiga fuulay iyo, Caliba soo gaadhye
Carruurtay sideen meesha iyo, Ciise nebigiiye (cs)
Cidla´ lagama Beermeen dadkoo, cuudi waaxida,e
Waxa qaarba cayn looga dhigay, hays cajabiyeene
Soomaalida caado xune, iguma caydeene
Oo ima canaanteen sidaan, cuud ka iibsadaye

2. Dhadhab (2)

Dhaqtarkaa la geeyaa ninkii, dhaawac weyn qaba,e
Iyana waygu dheeldheelayaan, dhamacda Daa'uude

3. Caashaqa hareertaada qabo (3)

Ninba tuu ka helay buu gabdhaha, Hodan ku sheegaaye
Oon heer-kastay qurux ka tahay, hawlin taa kale e
Anna dookhu adiguu huwaday, kuna hareer yaalle

4. Caasha hareertaada qabo (3)

Waa hubaale hays odhan wax buu, kuu hadoodilaye
Waa hadal nin waayeeli yidhi, hiilla kaa raba e
Waa hadal ka soo baxay ninkii, kuu harraad qabaye
Waa hadal ka soo baxay ninkii, kuu hadfee lumaye
Waa hadal ka soo baxay ninkaa soo hiloow ku lehe

5. Dhiilka caashaqa (4)

Inta uu hadhuuudh-laha ku daray, ama hed soo gooyey
Hal-hal tirada waan lagu heleyn, tan iyo Haabiile
Anigana hadduu igu shakalay, hadimadiisiiye

6. Qariya laabtiinna (5)

Idinkuna halkii qoommanayd, baa i qabateene
Qalbigaan bogsiinaayey baa, qac iga siiseene
Bal qiyaasa waataan qandhaday, Qamarey awgiine
Qarqarrada jidhkaygiyo gacmuhu, way qadh-qadhayaane
Qosolkaa yaryari waa waxaad, nagu qaldaysaane
Qalbiguu wax iga yeelayaa, naaskan qaawaniye
Inaan eebbahay idin qatalin, qariya laabtiina

7. Sahwi (6)

Iftiinka uuma soo baxo ninkii, iilka jiifsadaye
Wixii kaa adkaadaaba waa, aakhiroo kale'e
Waa laygu eemaray cishqiga, inan ku ooyaaye
Allahayow afkaygiyo sideen, aadmiga u eeday

8. Qalbigu laba jeclaan waa (7)

Anna laabta kama gooynin weli, caashaqii ladane
Luxudkaan la gelayaa sidaa, igaga liil dheere
Midnaay hays ku kay lurin qalbigu, laba jeclaan waaye

9. Soo soco Sidciyo qaaliyey (8)

Timahaa basari baan subkine, saaran garabkeeda
Sanka iyo indhaha iyo afkaa, sida sabiibeed ah
Sunniyaal madoobey qalbigu, saakin kaa noqoye
Soomaali iyo Carab iyo Hindiga, Sooyo laga keenay
Inta samada hoos joogta waad, ugu sarraysaaye
Soo soco Sidciyo qaaliyey, saanad baad tahaye

10.Hohe maxay seexshay (9)

Hadhka galay hurdadu way xuntee, hohe maxay seexshey
Muusow hungoobaye maxaa, Hodan i weydaarshey

11.Dayax iiga muuqdheer (10)

Ma duusho yarbaa Eebbahay, iigu daw galayey
Aqal daahyo weyn derged iyo, daar middaan galaba
Dallaalimo habeenkii haddaan, meel duddo ah seexdo
Dayax iiga muuqdheer midduu, duunku caashaqaye

12.Hillaac baa Berbera iiga baxay (11)

Hillaac baa Berbera iiga baxay, Hodan agteediiye
Hurdadana habeenkii ma ledo, had iyo waagiiye
Sidii hoorrimaad baa qalbigu, ii hanqanayaaye
Waa lay horjoogaa sidii, horudhacii geele
Inaan haybiskeed dhigay hadday, Hodan i moodeyso
Gabadh kale oon haasaawiyaa, weyga haniyaade

13.Sidii geel harraaday (12)

Sidii geel harraadoo wax badan, hawdka miranaayey
Oo haro la soo joojiyoo, kureygu heegaayo
Oo hoobeyda loo qaadayiyo, hadal Walwaaleedka
Kolkaad Hodan tidhaahdaanba waan, soo hinqanayaaye
Hadday hawl yaraan idin la tahay, aniga way hooge
Ayadoon xabaal lagu ham siin, waanan ka hadhayne

14. Mid kalaa la tegay geenyadii (13)

Mariil baa qardhaas loo qoraa, meelo la qabtaaye
Miridh baa la gooyaa cishqaan, cidina maarayne
Inantaan naftayda u makalay, way i moog tahaye
Mid kalaaba loo meheriyoy, meel u gogoshaaye
Micna gaabanow dumar inaan, malo la waydiinin
Waa waxa martiyo loogu xidhay, marada shaydaane

15.Muran ma le Ducaalow (14)

Maryama Xaashi iyo tuu Gahayr, Madar ka sheegaayo
Iyo marantiduu Cige Baraar, meel fog kaga boodey
Muran ma leh Ducaalow inay, muunad dheer tahaye

16.Muran ma le Ducaalow (15)

Sidrigay ku daabacan tehee, uma sakhraameene
Sidii saacaddiibay qalbiga, iiga socotaaye
Habeenkii markaan seexdo way, ila safaaddaaye
Salaaddii horay iga tagtaa, siigo noqotaaye

17.Duuli hadalkayga (16)

Dabayl-yahay adaa duulayoon, orodka deynayne
Adigaan dakaamayn siduu, Eebbe kuu diraye
Adigaa dulmari meel hadday, dogobbo yaalliine
Adigaan dariiqii xun iyo, daw ku celinayne
Adigaan darbadhahayn naf waa lala dalluumaaye
Daayinkaaban kugu dhaariyee, duuli hadalkayga

18.Wadaamii qalbiga waxa la tegay (17)

Iyadana wadeecada adduun, wiil kalaw baxaye
Wadaamii qalbiga waxa la tegey, wililigteediiye
Intay waaninaysan dhulbaan, weel ka gurayaaye
Waa lay warramayaa dadbaan, weeye leeyahaye
Waxa kani wareer iyo ka badan, caashaq waaxidahe
Walaalooyinow waxan ka biqi, inan ku waashaaye
Markan inan wareegaan damcoo, webiga jiidhaaye
Wiirada ragiyo baan ka tegi, wadhida naagaaye
Waddankeeda Soomaali waan, sii waddacayaaye
Wuxu Eebahay ii waciyo, waa-danbe aan dhawro

19.Gardarriyaa (18)

Sidii aad go'aygii tihiyo, macawistaan goostay
Ama aad godkii aakhiriyo, geeri iga baajin
Ama aan geyiga lagu ogeyn, gabadh kaloo joogta
Gardarriyaa maxan Hodan Cabdaay kaaga go'i waayey

20. Dhulka muunaddii

Nafta muunadeed waa inay, mahad ku waartaaye
Mada-daaladeed waa inay, maranti haysaaye
Maaamus jabkeed waa sidaa, maanta aan ahay

KUMA AYUU AHAA CILMIBOODHARI

Magacii loogu wanqalay wuxu ahaa CILMI. Waa magac caadi ah oo ay dadka Soomaaliyeed la bixi jireen, welina la baxaan. Xiitaa waxa jira qabiilooyin iyo jilibbo Soomaaliyeed oo magacooda la yidhaahdo, Reer Cilmi iyo Reer-cilmi. Jirtoo uu ereyga CILMI asalkiisu ka soo jeedo luqad kale, haddana cid aan Soomaali ahayn oo u adeegsata magac qofeed ahaan ma maqlin.

Cilmi waxa lagu naanaysi jiray **Boodhari**. Sababtoo ah wuxu ahaa Soomaali; qofka Soomaaliga ahna waxa lagu baadi-soocaa naanays sida summadda oo kale ah. Naanaystu waxay qofka ka raacdaa ama ugu baxdaa, sifo ama astaan uu leeyahay, dhaqan ama shaqo lagu ladhay, deegaan ama dad looga hayb-dhigay. Haddaba xaggee ayey Cilmi ka soo raacday naanaysta Boodhari?

Naanaysta boodhari waa erey la Afsoomaaliyeeyey oo asalkiisu yahay Af-ingiriisi. Ereyada Af-ingiriisiga ah ee la macnaha ah "xadka" ama "xuduudka" (the border ama boundary) ayuu salka ku hayaa magaca Boodhari. Sababta keentay in Cilmi loogu magac daro xuduudka waxay ahayd isaga oo la shaqayn jiray nin adeerkii ahaa oo cunto-kariye ahaan ugu shaqaynayey hay'addii calaamadinaysay xuduudka u dhexeeya Somaliland iyo Itoobiya. Taariikhda calaamadintu waxay bilaabantay

jeenawari 1930.[1] Waxa la yidhi marmarka uu Cilmi soo fasax qaato ee la waydiiyo xagga uu ka yimid, ayuu ku jawaabi jiray waxan ka imid xaggaa iyo boodharka. Markaa sidaas ayaa lagu dhejiyey magaca "Boodhari". Qisadaasi waa ta caanka ah ee sugnaatay. Waxase jira qorayaal hore –sida Margareta Lawrence[2]– oo ku koobsatay sababtii loogu bixiyey naanaysta inay ahayd Cilmi oo ku dhashay agagaarka xadka u dhexeeya Itoobiya iyo Somaliland. Laakiin taas waxa burinaya in aan laba aqoon xadkaas wixii ka horreeyey 1930kii. Ku darso oo ereyga Ingiriisiga ah ee Boodhari (Border ama boundary) lagama aqoon baadiyaha berigaas iyo ilaa maantadan la joogo. Markaa waa inay jirtay sabab keentay in la maqlo, waxanay ahayd calaamadintaas xuduudda ee Cilmi qudhiisu ka shaqaynayey. Dadka wax ku qora afafka far–laatiiniga ah ee aan Afsoomaaliga ahayn waxay u dhigaan naanaysta Cilmi siyaabo kala duwan oo ay ka mid yihiin; Bodari, Boodhari, Bondari, Bonderii, Bownderi, Bowndari.

Cilmiboodhari abtirsiintiisa oo dhammaystirani waxa ay noqonaysaa sidan:

Cilmi –>Ismaaciil–>Liibaan –>Warsame –>Faarax – >Maxamed –>Xasan –>Cigaal–>Muuse –>Aadan – >Yoonis –>Adderaxmaan –>Muuse, Daa´uud –>Ismaaciil

---

[1] Taariikhda calaamadinta xuduudka iyo gabayo waagaas laga tiriyey ka fiiri buugga "Aan ooyee, albaabka ii xidha" bogga 71
[2] Margareta Laurence, The heart of stranger

->Sheekh Isaxaaq ->bin Axmed[3] ->bin Maxamed-> bin Xuseen->bin Cali->bin Xamsa (Al-muddahir) -> bin Cabdalla ->bin Ayuub->bin Muxammed ->bin Qaasim->bin Axmed->bin Cali->bin Ciise ->bin Yaxye->bin Muxammed(Al-taqiyyi) ->bin Cali (Al-caskariyi) ->bin Muxammed (Al-jawaad) ->bin Cali (Al-ridaa) ->bin Muuse(Al-kaadim) ->bin Jacfar Al-saadiq->bin Muxammed Albaaqir->bin Cali Sayn-alcaabidiin->bin Xuseen->bin Sayid-Cali ibnu Abii Daalib.

Cilmi hooyadii waxa la odhan jiray Khadiija Cabdi Cadaawe. Waxay Cilmi Walaalo ahaayeen afar qof oo laba nin iyo laba dumara ahaa. Labada nin waxay kala ahaayeen: 1- Ibraahin-jees **Ismaaciil Liibaan** iyo 2- Cismaan-dhaameel[4] **Ismaaciil Liibaan.** Labada gabdhoodna waxay kala ahaayeen 1- Sidciyo Ismaaciil Liibaan iyo 2- Xaliimo Ismaaciil Liibaan

TAARIIKHDA DHALASHADIISA:
Cilmiboodhari wuxu ku dhashay dhulka miyiga ah. Taariikhdii uu dhashay waa la qiyaasi karaa lamase

---

[3] Abtirsiinta wixii ka dambeeya bin Axmed lama hubo, la iskumana raacsana. Dadka ku qanacsan inu Sheekh Isaxaaq ahaa Aalu-beyd waxay taxaan abtirsiinta ilaa laga gaadhayo Sayid Cali binu Abii Daalib. Waxan ka soo xigtay buugaag kala duwan oo uu ka mid yahay "Dheemankii lagu maamuusay Maydh". Haddiise ay sax noqon lahayd waxa la wadi karaa ilaa Nebi Aadan cs. Aniguse waxan u arka in mala-waalku ku badanyahay abtirsiimahan fog oo dhan.
[4] Xogtan waxa ku deeqday Aamina Dhaameel Ismaaciil oo uu Cilmi adeer u ahaa. Aamini hadda -2014- waa qof weyn oo ayeeyo ah. Waxay sheegtay in ay weli nooshahay Xaliimo Ismaaciil Liibaan oo baadiye deggentahay.

xaqiijin karo. Sababtu waxa weeye ayada oo reer miyiga Soomaalidu aanay qori jirin dhalashada carruurtooda. Waagaas uu Cilmi dhashay iyo immikadan la joogo toona Soomaalida baadiyuhu ma yaqaanniin xilli tirsiga miilaadiga ah ee dadkeenna wax akhriyaa isku afgartaan. Hase ahaatee waxa la yaqaannaa xilligii Cilmi ka shaqayn jiray jeexidda xuduudka oo ahaa 1930kii iyo xilligii jacaylka Cilmi soo shaacbaxay oo ahaa 1931 iyo sannadkii uu geeriyooday oo ahaa 1941. Markaa waxa la sheegay in gugaa uu dhintay ay da'diisu ahayd 33 jir. Taasi waxay inoo muujinaysaa in dhalashada Cilmiboodhari ku beegnayd sannadkii 1908. Taasi waa taariikhda ay tilmaameen dadkii hore wax uga qoray ama cajalad ku duubay qisada Cilmi. Goobtii uu ku dhashay oo xaddidan ma xaqiijin karo laakiin waxa lagu hubaa inay tahay saddex geeska u dhexeeya Hargeysa, Berbera iyo Burco ilaa jiidda hawd kaga beegan aaggaas.

CILMI IYO SOO GELIDDII BERBERA

Cilmi Ismaaciil Liibaan (Cilmiboodhari) wuxu soo galay magaalada Berbera oo waagaas ahayd magaalada ugu magaalaysan dhulkii Ingiriisku gumaysanayey ee Brittish Somaliland. Da'diisu waxay markaa madaxa ka jirtay labaatan gu'. Sannad ama laba ayaa u dheeraa. Asbaabtii ka keentay dhulkii uu ku barbaaray iyo ciddii uu Berbera ugu soo hagaagay, midna faahfaahin lagama

hayo. Waxase la sheegay in markiiba uu shaqo ka
bilaabay makhaayad laga cunteeyo, lagana qaxweeyo.
Shaqada laga qabto makhaayadaha way noocyo badan
tahay, waxana ka mid ah cunto Karin, shaah-bigayn,
muddalabnimo, dhufadle iyo maqalhaye. Shaqadii
makhaayadda kuma uu raagin ee wuxu markiiba uga
diga-rogtay meherad lagu dubo roodhida oo uu shaqo ka
helay. Waxa Cilmi u sahlayey helitaanka shaqooyinka,
waayo-aragnimo iyo tababar uu ka soo helay caawintii
adeerkii oo dabbaakh ama kuug u ahaan jiray shaqaalihii
samaynayey waddada xuduudka.

Markiiba Cilmi wuu la qabsaday magaaladii Berbera oo
wuxu noqday nin dad la dhaqan leh oo bulshaawi ah.
Asxaab fara badan oo Carab iyo Soomaaliba leh ayuu ku
yeeshay magaalada. Nin kaftan iyo haasaawe badan
ayaa lagu sheegay. Laakiin laguma aqoon curinta
suugaanta iyo xiitaa ku sheekaynteeda. Soomaalidu
waxay berigaas iyo maantaba caan ku tahay marka
makhaayadaha la isugu yimaaddo in lagu sheekaysto oo
la is waydaarsado suugaanta noocyadeeda kala duwan.
Cilmina makhaayad iyo moofo labadaba wuu ka
shaqaynayey. Wuu arkayey oo maqlayey ayada oo
barbaarta, gadh-madoobeyaasha iyo odayaashuba
darandoorriyayaan murtida noocyadeeda kala duwan.
Laakiin isagu ma ahayn mid lagu bartay mu'allifnimo.
Xaqiiqdaasi waxay amakaag kugu ridaysaa marka
dheehato ama dhugato maansooyinka uu beriga dambe
ku cabbirayo dareenkiisa caashaq. Waa maansooyin
kaalin sare ka gelaya xigga ximadda iyo
farshaxannimada, wixii ay Soomaliyi maanso tirisay

walikeed. Tolow ma hibo ku aasnayd ayuu jacaylku godlay? Mise cid kale ayaa maskaxdiisa la wadaagaysay oo wax ku shubaysay? Ta hore u badi; maxaa yeelay waxa la sheegaa in Soomaalidu 80% xambaarsantahay hibada maanso curinta laakiin badankoodu u baahanyihiin wax godla.

BARASHADII HODAN IYO BUKAANKII KU LADHNAADAY

Meheradaha furunlayaasha ahi way dareensanyihiin inay boqollaal qoys iyo tobaneeyo meheradood ku soo jarmaadayaan si ay uga iibsadaan roodhi daray ah oo ay ku quraacdaan. Sidaa darteed shaqaaluhu waxay goobta heegan ku yihiin xilliga daakiraadda iyo wixii ka dambeeya. Haddaba maalin maalmaha ka mid ah wuxu Cilmi sidii caadada ahayd u soo kallahay shaqadiisii uu moofada ka hayey. Macaamiishii roodhida doonaysay ayaa iska soo daba-dhacday. Qaar hore wax uga iibsan jiray iyo qaar cusub labaduba way soo qulquleen. Macaamiisha cusub waxa ka mid ahayd Hodan!.

Hodan waxay ahayd gabadha uu eersan doono Cilmi Ismaaciil Liibaan (Cilmiboodhari). Magaceedu waa Hodan. Magaca aabbeheed waa Cabdille. Magaca awoogeedna wuxu ahaa Walanwal. **Hodan Cabdille Walanwal.** Goortaa ay Cilmi kulmeen waxay ku noolayd magaalada Berbera. Guriga eddadeed ayey joogtay iyada iyo gabdho ay walaalo ahaayeen. Eddadeed waxa la odhan jiray Sidciyo Walanwal. Aabbeheed wuxu

degenaa oo ka shaqayn jiray magaalada Laascaanood.
Wuxu turjumaan u ahaa maamulkii gumaystaha
Ingiriiska. Qoys ladan ayey ka soo jeedday haddii lagu
qiyaaso cabbirkii waagaas.

Hodan Cabdille Walanwal waxay Cilmiboodhari ka
iibsatay roodhi fureesh ah oo markaa la dubay. Markii ay
la hadashay iyo markii ay roodhida gacanteeda kaga soo
qaadatay iyo markii ay gacanta kale ugu dhiibtay
lacagta, inta jeerba waxay raad aan tirmayn kaga tagtay
wadnihii Cilmi Ismaaciil Liibaan.

Waxa la yidhi; markii ay Hodan soo gashay meheradda
waxay ku salaantay Cilmiboodhari: "*Subax wanaagsan.*"
Taas oo noqon karta wixii soo jeediyey indhihii
hawshaysnaa ee Cilmi Ismaaciil Liibaan oo dib uga
jeesan kari waayey ilaa ay ka libidhay araggiisa.

Waxa la yidhi: "*Waxa jirta eegmo ku badda kun
qoomammo*". Cilmiboodhari waxa subaxdaa saaqay
jacayl aan xad lahayn oo uu u qaaday inantii kacaanka
ahayd ee roodhida ka iibsatay.

Hodan da'deeda rasmiga ah ee markaa ay ku jirtay lama
xaqiijin karo. Laakiin waxaanu shaki ku jirin inay ahayd
qof qaangaadh ah. 15 jir-16 jir qiyaastii. Taasi waxay
kuu caddaan doontaa marka aad qisada sii akhrido.
Sawirkii muuqaalkeeda, sawdkii hadalkeeda iyo
tallaabadii socodkeeduba way ka bixi waayeen
maskaxdii Cilmi-boodhari. Fikirkiisii waxa qabsaday

Hodan. Shaqadii way ku adkaatay. Hurdadii way ku yaraatay. Cuntadiina way ka xumaatay. Wuxu isku dayey in uu qarsado dareenkiisa. Laakiin waxa la yidhi: *"Jacayl iyo qofac midna lama qarsan karo"*. Markii uu muddo kelidii baaxaa-degayey ayuu asxaabtiisii khaaska ahayd u bandhigay xaajada la soo deristay.

Cilmiboodhari inkasta oo uu wakhti yar joogay Berbera, haddana wuxu lahaa baa la yidhi; asxaab fara badan. Waxase ugu sii dhawaa laba nin oo la kala odhan jiray Muuse-carab iyo Tabaase. Waana labadooda kuwa uu judhiiba sida gaarka ah ugu sheegtay dabayshan jacayl ee derdertay. Muuse iyo Tabaase markiiba way is garab taageen Cilmi, kamanay bixin dhinaciisa ilaa qisadu ku dhammaato sida xanuunka badan ee ay ku dhammaanayso. Gabayada Cilmi qaarkood ayuu ku jiraa magaca Muuse-carab. Tusaale ahaan mar waa kii lahaa:
"Hadhka galay hurdadu waxay xuntaye, hohe maxay seexshay.
Muusow hungownaye maxaa, Hodan I waydaarshay."

Mar kalena wuxu yidhi:
*"Daaroole weeyaan halkaan, Daawi ku ogaaye.
Dalyaqaanka Muusaa yaqaan, dawga loo maro eh."*

Markii asxaabtii ay ogaadeen xaalka Cilmi iyo waleecaadka ka haysta jacaylka Hodan, warkii wuu faafay. Saaxiibba saaxiib ayuu u sheegay. *"War af dhaafay, afaaf dhaaf"* ayey xaajadii noqotay.

Waxa la yidhi·····..

isla beryahaas waxa dhacday xaflad aroos oo kulmisay Cilmiboodhari iyo Hodan. Aroosku wuxu ka dhacay xaafadda Daaroole ee magaalada Berbera. Asxaabtii Cilmi qudhoodu way ka qaybgaleen gaafkaas. Habeenkaas Cilmi wuxu ka qaaday arooskaas hees-ciyaareed laga wada helay oo uu ku luqaynayey. Cilmi wuxu ahaa baa la yidhi nin luuq wanaagsan oo kala bedbeddela luuqdiisa. Wuxu yidhi[5]:

- *Alla hoobey hobaaligayeey sidirigam, hoobalow heelleey*
- *Gaadama galooleeyeey sidirigam, hoobalow heelleey*
- *Gidiggeedba Soomaaleey sidirigam, hoobalow heelleey*
- *Geyigaan ku noolahayeey sidirigam, hoobalow heelleey*
- *Gabdhaha waad u sidataayeey sidirigam, hoobalow heeleey*

Waxa la sheegay in markii ay ciyaartu dhammaatay ay isla kulmeen Cilmi-boodhari iyo Hodan. Cilmi wuxu Hodan u sheegtay dareenkiisa iyo in uu rabo guurkeeda. Jawaabteediina waxay noqotay inay uga xog warrantay duruufaha ku xeeran; in ay la joogto eddadeed oo aan maqli Karin rag iyo sheeko sheeko iyo in iyada

---

[5] Fiiri buugga "Halqabsiga jacaylka" Ibraahim Maxameddeeq Ciise

qudheedu ay reerkooda uga dambaynayso wixii nolosheeda iyo mustaqbalkeeda ku saabsan.[6]

Cilmi wareerkii jacaylku wuu ku sii batay. Hurdo way kala dhaqaaqeen. Cunto hadalkeeda daa. Shaqadiina waabu wadi kari waayey oo faruhuu ka qaaday. Tala adduun waxay kaga soo hadhay; Hodan ha lay geeyo!. Hodan ha lay keeno!. Hodan ha lay guuriyo!. Hodan ha layla kulmiyo!.

Dadkii way la yaabeen Cilmi ···
Maxaa yeelay hore looma arag nin la soo banbaxa jacayl!
Maxaa yeelay hore looma arag, nin isla soo taaga waxan jeclahay gabadh aanu u gogolfadhiisan.
Wuxu dhaqanku ahaa, in ninku marka hore maal tabcado. Geel iyo gammaan yeesho. Marka uu dhaqdo xoolo uu ka bixin karo yarad iyo gabbaati, in uu markaas uun raadiyo gabadhii uu guursan lahaa. Ma ahaan jirin xaalku gabadh gaar ah ee waa tii ku yeesha ee aan laguu diidin. Loomana diidi jirin gabdhaha ninkii la arko inuu diyaarsan yahay.

Cilmi asxaabtiisii iyo tolkiiba way waaniyeen. Waxay ku waaniyeen shaqadiisa. Waxanay tusaaleeyeen sida ay dawdarnimo iyo wax aan la liqi karin u tahay jacaylkan uu sheegsheegayo iyo danseegnimadan uu la soo baxay.

---

[6] Buugga uu qoray Rashiid Maxamed Shabeelle oo aha wiilkii ay dhashay Hodan, wuu ku xusay xafladdan la isku arkay laakiin wuxu u dhigay in dusha uun la iska arkay ee aan la wada hadlin.

Halka ay ka hadlayaan iyo halka uu Cilmi joogaa way
kala fogaayeen. Nin cunto ka go'ay, oo hurdo ka tagtay
oo isu arka in loo gurmado ayuu ahaa. Iyaga oo maalin
maalmaha ka mid ah waaninaya ayuu wejiga kaga
dhuftay gabaygiisii ugu horreeyey oo ahaa:

Nimanyahow dharaar iyo habeen, waan dhadhabayaaye
Dhulkuun baan xarriiqaa siday, dhiillo ii timiye
Sida qaalin dhugatoobayoo, geelii wada dhaafay
Dhallinyaro ma raacee kelaan, dhaxanta meeraaye
Dhaqtarkaa la geeyaa ninkii, dhaawac weyn qaba,e
Iyana waygu dheeldheelayaan, dhamacda Daa'uude

Gabaygaasi naxdin iyo filanwaa ayuu ku noqday dadkii
waaninayey Cilmiboodhari. Waa mare kuma aanay aqoon
wax gabay-curin ah haba yaraatee. Kanina waa gabay
miisaankiisu culusyahay. Dhinaca kalena wuxu
tusaaleeyey dhibaatada iyo xanuunka haysta ee aanay la
fahansanayn asxaabtiisu. Dabcan taasi waxay keentay
bal in tixgelin iyo fiiro gaar ah loo yeesho waxan uu
Cilmi sheeganayo; jirtoo dhaqankii iyo caqligii berigaaba
ay ku adkayd.

Waxa kale oo la sheegay in maalin maalmaha ka mid ay
Cilmi iyo saaxiibkii Muuse-carab u tageen Hodan.
Guriga ayey ugu soo galeen ayada oo caws samaynaysa.
Wixii tiraab dhex martay lama hayo laakiin tix gabay ah
oo uu ku sifeeyey quruxdeeda, dhaqankeeda iyo
jacaylkiisa ayaa la sheegay inuu u mariyey. Tixdaas oo

ah mid cajaa´ib iyo farshaxan ka buuxo wuxu bilawga kaga faalloonayaa sida ay iyadu ula muuqato isaga. Wuxu yidhi[7]:

"Ninba tuu ka helay buu gabdhaha Hodan ku sheegaaye
Oon heer-kastay qurux ka tahay hawlin taa kale e
Anna dookhu adiguu huwadey kuna hareer yaalle
Qaarbuu gabdhaa hilibku iyo hugu cusleeyaaye
Adna inaanad haabkaa ahayn hubiyey dhawr-jeere·······"

Waa gabay aad u dheer. Aakhirna wuxu ku balballaadhinayaa jacaylka haya iyo nooca uu yahay. Wuxu yidhi:
Waxba yaanan sii hadaltiyeyn, hadalka qaarkiiye
Ihaleel jacaylkii intuu, soo hamaansadaye
Heensiyo hubkaa laba dhacuu, igu hogaanshaaye
Hayin aan biyaha daadin iyo, iga dhig hawl-mooge
Dhulka meesha hodaniyo nimcada, igu ag hayn waaye
Hogob laga hayaamiyo cidluu, ila hadaafaaye
Hiil qodaxle iyo jeerin buu, igu hagaajaaye
Waxaan hadimo soo maray waxaan, halowyo soo meeray
Hohi cabasho weeyee mar qudha, hiiftan maan odhane
Halbawlahaad i heertiyo lafahan, hilibku naafoobey
Nabarradan bog hoosiyo wadnahan, halac ka oogaaya
Haddii aan ku helibey bogsoon, haarta qoomaniye"[8]

Waxa la yidhi····.

---

[7] Fiiri buugga "Halqabsiga jacaylka" Ibraahim Maxameddeeq Ciise
[8] Gabaygan isaga oo dhammaystiran ka eeg qaybta gabayada. Waa gabayga 3aad

Iyagoo Cilmi iyo saaxiibkii la fadhiyaan Hodan, waxa u soo gashay eddadeedii ay la joogtay oo aad u ilaalin jirtay hablaha guriga jooga oo dhan. Gabadh kulna way ahayd. Markaa nimankii way dagaashay oo maxaa guriga idin soo geliyey ayey ku hiiftay. Laakiin Hodan ayaa ka dhicisay oo u sheegtay in aanay innamadu wax qalad ah samayn iyo in ay qaylada ka dayso.[9]

Markii gabayadii Cilmi iyo sheekadiisi ku dhex faafeen magaalada Berbera, waxa maqlay qoyskii Hodan. Aad iyo aad ayey uga xumaadeen in magaca inantooda magaalada lagu wadwado. Waxay u arkeen ceeb, ansha-xumo iyo sharaf dil lagu sameeyey Hodan iyo reerkoodaba. Wakhtiga la joogay ayaa taa keenayey. Hablaha sumcaddoodu waxay ahayd lama taabtaan. Sumcadda hablaha iyo ta reerkuna way isku xidhnayd. Xiitaa sumcadda qabiilka iyo sumcadda inanta ayaa isku xidhnaa. Jacayl iyo jidh la sifeeyana waxa loo arkayey berigaas ceeb iyo sumcad xumo. Markaa sababta ugu weyn – **Qaddarka Alle ka sokow**– ee uu Cilmi ku waayey Hodan, waxay ahayd xanaaqas reerku ka qaadeen sheekadaa suuqa u gashay.

Cilmi-boodhari xaalkiisu wuu ka sii daray. Dhinac walba dab ayaa kaga oogmay. Isaga jacaylkii Hodan maalinba maalinta ka dambaysa wuu ku sii badanayey.

[9] Buugga uu qoray Rashiid Maxamed Shabeelle oo aha wiilkii ay dhashay Hodan, wuu ku xusay dhacdadan laakiin wuxu ka dhigay in markii innamadu soo galeen ee ay fadhiisteenba, ay soo gashay Hodan eddadeed oo wax guriga ku illowday. Yacnii in aan wax hadal ah oo badan la isla gaadhin.

Bulshaawinimadiisii way sii yaraanaysay oo ka fikiridda Hodan ayaa mashquulisay. Sheekadiisii way faaftay oo magaaladiiba isaga ayey ka sheekaysanaysaa. Qof waliba wuxu doonayaa in uu Cilmi ka hadliyo oo wax lagu madadaaloodo ka helo. Hodan warkeedii ma hayo. Reerkoodiina muraaradillaac inay ka qaadeen Cilmi iyo sheekadiisa wuu ogsoonyahay. "Fule xantii ma mooga" ayaa la yidhi.

Dhinaca kale, tolkiisi ciil iyo cadho ayey magaalada la joogi la'yihiin. Nin dhan oo ka tirsan ayaa ku hadaaqaya; inan yar ayaan jeclahay oo dadkii kaga maadsanayaan. Sumcad xumo weynaa! Xiitaa in la dilo si ceebta la isaga maydho waa la soo jeediyey.

Waxa la yidhi⋯..
Cilmi jacaylkiisa lama garawsan ee waxa loo arkay in la maray ama duulal heleen. Waxa loo geeyey wadaado wax dabiiba. Waxa loo geeyey fooxisooyin, faaliyeyaal iyo dhakhaatiir caadi ah. Wax cilinkiisa saara waa la waayey. La arag ninku inuu caafimaad qabo, haddana waxa uu samaynayaa wax caadi ah ma aha. Xaaladdaas isaga oo ka faalloonaya waakii lahaa:
Cududuhu ma naaxaan qofkay, talo ku ciirtaaye
Casharkay wadaadu qoreen, cudurkan goyn waaye
Cilmi iyo daawaba doontayoo, waayey cilinkiiye
Jeeroonse canabeey ku helo, caafimaad dhimaye

Waxa la yidhi:⋯⋯

Maalin maalmaha ka mid ah ayada oo la waaninayo oo asxaabtiisu ku leeyihiin; Cilmiyow sidani si maahee, waa in aad inantan yar hadalhaynteeda dhigto oo aad danahaaga qabsato, ayuu gabay aanay filahayn ugu jawaabay. Wuxu yidhi:

Caashaqa haween waa hora, Caadil soo rogaye
Sayidkii carshiga fuulay iyo, Caliba soo gaadhye
Caruurtay sideen meesha iyo, Ciise nabigiiye
Cidla lagama Beermeen dadkoo, cuudi waaxida,e
Waxa qaarba cayn looga dhigay, hays cajabiyeene
Soomaalida caado xune, iguma caydeene

Arrintaasi af kala qaad ayey ku noqtay dadkii u soo ururay waanadiisa. Meel hadal laga yidhaahdo oo uu dhaafay ma jirin. Waxay noqotay in lagu kala kaco kulankii. Dhinac ahaan waa laga xumaa xaaladda uu ku suganyahay Cilmi, haddana suugaantan malabka ah ee afkiisa ka soo burqanaysa lama qarin karayn. Markiiba gabaygu wuxu gaadhayey dadkii reer Berbera oo u hanqal taagyey warka cusub ee ka soo yeedha dhinaca Cilmiboodhari. Sidaas ayuu warkii Jacaylka Cilmi ku fiday. Haddii markii hore uu ku koobnaa Cilmi Saaxiibadii. Haddii markii labaad uu ku koobnaa reer Berbera, hadda wuxu u gudbay magaalooyin kale. Wuxu u gudbay reer miyi. Meel walba waa lagaga sheegaystay. Dhallinyarada ayaa ku haasawday. Dadka ka taga Berbera, waxa ka mid noqday waxyaalaha laga waraysto, Cilmiboodhari, jacaylkiisa, Hodan iyo suugaantii ugu dambaysay ee uu sameeyey.

Waxa la yidhi········..
Dadkii reer Berbera aad ayey uga xumaayeen
dhibaatada iyo xanuunka jacayl ee Cilmi ku habsaday.
Waxay ka xumaayeen digigixasho la´aanta Hodan iyo
qoyskooda. Hodan iyadu wax eed ah may lahayn oo
inanyar oo dhaqan lagu koriyey ayey ahayd. Ma aanay
gacan dhaafi karayn reerkooda. Reerkuna waxayba ceeb
iyo sumcad xumo u arkayeen in inantooda makhaayado
lagaga sheekeeyo. Markaa inay u guuriyaan iska daaye,
waxay ka xanaaqayeen magaciisa.

Haddaba ayada oo halkaa xaalku marayo, waxa is
urursaday baa la yidhi dumarkii reer Berbera. Waxa la
soo xulay hablihii ugu quruxda iyo dhegta badnaa.
Sheekooyinka qaarkood waxay sheegayaan in habluhu
isaga yimaaddeen xiitaa meelo ka baxsan magaalada
Berbera, sida baadiyaha, Burco, Hargeysa, Muqdisho,
Jabuuti iyo xiitaa meelo kale. Xaqiiqada Allaa og. Laga
yaabee in laga badbadiyey intaas dambe. Laakiin waxa
la hubaa in hablo badan oo hubqaad iyo xarrago loo
dhammeeyey ay u soo urureen Cilmiboodharo, si ay ugu
yidhaahdaan: "Iska illow Hodan oo annaga middii ku
cajabisa naga dooro". Cilmi Casuumad ayaa loogu
yeedhay. Isaguna aad ayuu ugu farxi jiray marka meelo
looga yeedho oo wuxu rajayn jiray in Hodan halkaas
lagula kulansiin doono.

Waxa la soo dhigay cuntooyinkii kala duwanaa ee lagu
fara yaraystay. Waad garan kartaa hablo Soomaaliyeed
oo casuumad u tafa-xaytay waxay soo dhigi karaan.

Berigaas hore iyo maantaba dumarka Soomaaliyeed
xilkasnimadooda iyo gaarinimadooda lama barbardhigi
karo cid kale dumarkooda. Kolba gabadh xarragoonaysa
ayaa soo dul marta Cilmi oo salaan iyo qosol isugu darta.
Hadba koox ayaa u soo gasha oo kaftan iyo bariido ku
darandoorrida. Aakhirkii, markii cuntadii laga fulay, saf
ayaa la isu soo taagay halkii Cilmi joogay. Waxa la
sheegaa in hab labbiska hablaha ay ka muuqatay
isqurxin iyo is muujin aan caado u ahayn deegaanka.

Cilmi waxa laga codsaday inuu soo jeesto oo hablahan
ka doorto tii alla tii uu doono. Yacnii haddii aad gabadh
rabto, gabdhihii waa kuwan kuu diyaarsan in aanay hadal
kugu soo celin. Haddii aad qurux rabtana, waatan
quruxdii dumarka Soomaaliyeed. Jawaabta Cilmi laga
sugayey waxay ahayd in uu hablaha isha mariyo oo tii
cajabisa gacanta ku fiiqo. Waa la filayey in ay ku
adkaato kala doorashada xulka quruxda Soomaaliyeed
ee hortiisa taagan, laakiin lama filahayn tii uu ku
jawaabay oo ahayd tixdan gabayga ah. Wuxu yidhi:

Hadday ili wax qabanayso oo, lagu qaboobaayo
Oo qurux la daawado mar uun, aadmi ku qancaayo
Aniguba Qadraan soo arkiyo, qaararkii Hodane -----

Marka uu halkaa marayo way caddaatay, in aanu Cilmi u
jeedin qurux. Quruxduna ma aha ta dusha ka muuqata ee
indhahaagu arkaan ee waa ta qalbigaaga gasha. Waatii
uu horeba u yidhi: *"Ninba tuu ka helo buu gabdhaha*
Hodan ku sheegaaye. Oo heer kastooy qurux ka tahay,

hawlin taa kale eh". Immakana halkii ayuu taaganyahay oo wuxu sheegayaa inay indhiihiisu hore u qabteen qorriinshaha, qarqarrada iyo qaabdhishmeedka Hodan, isla markaana ay gashay qalbigiisa oo aanay cid kale ka dabageli Karin. Gadaal ayeynu ka arki doonnaa isaga oo mar kale odhanaya: *"Midnaay hays ku kay lurin qalbigu, laba jeclaan waaye"*.

Taasi haddii ay u caddaatay hablihii u sharraxnaa marxabbaysiinta iyo qaboojinta qalbiga Cilmi ee qamadhacyoonayey, bal aan eegno sida uu u arko isagu. Ma wax ayey u tareen mise holac iyo hurgumo ayey ku sii kiciyeeen? Wuxu yidhi isaga oo sii wata gabaygiisii:

Wax badan baan qumaati u hubsaday, qalanjo naagoode
Ha yeeshee qaraam baygu galay, qalay naftaydiiye
Idinkuna halkii qoomanayd, baa i qabateene
Qalbigaan bogsiinaayey baa, qac iga siiseene
Bal qiyaasa waataan qandhaday, Qamarey awgiine
Qarqarrada jidhkaygiyo gacmuhu, way qadh-qadhayaane
Qosolkaa yaryari waa waxaad, nagu qaldaysaane
Qalbiguu wax iga yeelayaa naaskan qaawaniye
Inaan Eebbahay idin qatalin, qariya laabtiina

Qajilaad iyo xishood ayey hablihii la dhaqaaqi kari waayeen. Gacmihii ayey kula yaaceen jidhkooda meelihii ay ka banneeyeen. Maryihii ayey wixii jiidjiidmi karayey jiidjiideen. Goobtiina waxay uga dhaqaaqeen xabbad xabbad. Abaabulkaasi wuxu noqday mid dhicisoobay.

Waxa la yidhi····.
Sidaa lagagama hadhin Cilmi ee asxaab, tol iyo
abtiyaalba waa loo tafo-xaytay sidii loo samatobixin
lahaa. Waxa loo soo bandhigay hablo xagga hooyadii ka
soo jeeda. Soomaalidu aad ayey u jeclayd guurka ilma
abtiga. Waa tixgelin hooyo. Waa tixgelin eddo. Waa
qaddarin abti. Macno gaar ah ayuu lahaa guurka ilma
abtigu. Ninkii hela inaabtidii wuxu ahaa nin gool u
dhashay. Markaa Cilmi waxa la xasuusiyey xurmadaas
abtinimo iyo xiisaha guurka ilma abtiga. Waxad mooddaa
in uu Cilmi waxoogaa garawsaday arrinkaas. Haddana
wuxu la yaabbanyahay gabadhan dhagax dixeedka ah ee
qalbigeedu soo jlici la'yahay.

Isagu gabadh ma waayin. Ilma abtiyadii ayaaba jooga.
Laakiin wadnihiisan gardarrooday ee gabdh shisheeye
raacay, miyey u garaabi kari wayday? Ma garan wayday
ninkani wuu heli karaa qaar kuu dhigma ama kaa mudan
ee waxa hoggaan ku xidhay cishqi ee gacanta u fidi.
Dabcan lama oga wax ay dareemaysay Hodan. Warar
lagu kalsoonaan karaa waxay sheegayaan inay jeclayd
Cilmi. Weliba ay si aad ah u jeclayd. Laakiin aanay
dhaafi karayn xeerarka dhaqanka ee hablaha
xakamaynayey. Halka warar kalena ay sheegayaan in
aanay Hodan wax niyad ah weligeedba u yeelan Cilmi.
Ilaahay ayaa xaqiiqada og. Waase iska macruuf in
waagaas aan hablaha wadnahooda la tixgelin jirin ee
dantooda laga fikiri jiray.

Markii loo soo bandhigay in uu isku noqdo oo bal xaggaa iyo reer abtigii fiiriyo ayuu yidhi: " **Waar idinka ma Hodan iskaga tag uun bay idinkaga dhammaatay**".

Dabadeedna wuu aamusay. Madaxa ayuu lulay markaas ayuu mariyey gabaygan soo socda. Wuxu yidhi:

Marka horeba anigaa sahwiyey Ina-Adeeroowe
Oodduba xigtay leedihiyo, ubaxa geeduuye
Abtiyaalladay baa ekaa, inan adeecaaye
Ammaantii Ugaadh Cumar lahaa, Ereg maxaa geeyey
Qaar hooyaday u eeddatoo, aada baa jira'e
Allahayoow afkaygiyo sideen, Aadmiga u eeday

Gabaygan oo intan aad uga dheer, gadaalna aad ku arki doonto, waa uu ka nixiyey dadkii wacdiyayey Cilmi. Waayo, wuxu ahaa gabay qoomammo iyo cabasho ka buuxdo. Xiitaa Aakhiro iyo Alle ka ashkatayn ayaa ka muuqata. Waxad mooddaa in uu Cilmi gabaygan kaga cabanayo inay Hodan ku wacad furtay. Waayo; wuxu ku soo dhammaynayaa:

Ahabtaba ma galo ruux hadduu, aamin-goys yahaye
Axdigaad ka booddaa jannada, oodda kaa roga`e
Adigiyo ashahaadaduna ways, ku Alla seegtaane
Haw oonsan aakhiro waxaad, urursataa yaalle

Kulankaasna waa lagu kala kacay ayada oo la anfariirsanyahay.

Waxa la yidhi⋯⋯⋯

Maalin maalmaha ka mid ah waxa isa soo raacay Cilmi
iyo Tabaase. Waxay soo agmareen gurigii ay habluhu ku
casuumeen ee ay isugu soo bandhigeen. Dabadeedna
gurigii ayey ku leexdeen. Waxay kula kulmeen hablihii
casuumay qaarkood oo kaftan iyo sheeko dhex martay.
Waxay mar labaad u soo jeediyeen in uu gabadh alla
gabadhii uu doono ee aan Hodan ahayn ka doorto
magaalada, iyaguna ay u soo dhammaynayaan. *"Farta
uun boogu fiiq, annaga ayaa wax kaala qabanaynee"*
ayey ku yidhaahdeen. Dabadeed Cilmi inta uu aad
madaxa u ruxay ayuu ugu jawaabay tixdan gabayga ah
ee soo socota, oo ah mid caloosha soo qadday
dhammaan hablihii meesha joogay. Wuxu yidhi:

Luqmo−liigle awrkuba kolkuu, laacdan baranaayo
Isagaa u laakima badnaa, laqanka xoolaaye
Hadba qaalmo laacdana wuxuu, luqun−jibaadhaaba
Lix intaanu jirin hadduu, laacib ku ahaado
Lama loodin karo jeeroy, liicdo bawdaduye
Anna laabta kama gooynin weli, caashaqii ladane
Luxudkaan la gelayaa sidaa, igaga liil dheere
Midnaay hays ku kay lurin qalbigu, laba jeclaan waaye

Markii uu tixdaa mariyey ayey lulo qabatay Cilmi.
Markaas yuu waydiisatay meel uu seexdo. Meel uu
seexdo ayey u gogleen oo uu Cilmi ku gam'ay. Intii uu
gama'sanaa ayey hablihii ka waraysteen Tabaase waxa
ku dhacay ninkan. Dabadeed wuxu Tabaase u sheegay in
aanu Cilmi hurdo seexan tan iyo intii cishqigu saaqay

haba yaraatee. Marka keli ah ee ay lulo qabataana waa marka Hodan looga sheekeeyo.

Waxa la yidhi············

wuxu ugu jeclaa aragtida Hodan iyo marka looga sheekeeyo. Weliba waa marka war wanaagsan looga sheego. Waxanu ugu necbaa oo aanu maqli kari jirin ciddii ku tidhaahda Hodan iska dhaaf jacaylkeeda ama sheekadeeda.

Maalintan markii uu tiriyey gabaygan uu ku sheegay "*Laabi laba u la'*", aad ayey hablihii ugu calaacaleen Cilmi ayaga oo ka xun xaaladda uu ku suganyahay. Cilmi ragga ay asxaabta yihiin waxay jeclaan jireen in uu Hodan iskaga hadho oo ka calool go'o. Habluhuna sidaas oo kale waxay jeclaan jireen in uu gabadh kale uga wareego Hodan.

Waxa la yidhi··········

Maalin maalmaha ka mid ah ayey Is raaceen Cilmi iyo Tabaase. Roob ayaa dhexda ku qabsaday. Waa ay ka yaaceen si ay meel uga galaan. Show Cilmi roobkii ayuu macaansaday oo ku raaxaystay oo waabu ka hadhay Tabaase. Tabaase-na wuxu moodayey in uu daba ordayo. Markii uu gaadhay meeshii uu roobka ka jirso islahaa ayuu waayey Cilmi. Mise waxaabu arkay isagii oo iska sii dhex qaadaya roobka. Wuu ka daba cararay. Kuye: "*Waar Cilmiyow gurigeenni wuu fogyahaye, kalaay aan roobka meeshan ka jirsannee*". Cilmi isaga oo aan istaagin, soona eegin saaxiibkii Tabaase, ayuu

yidhi: "*Waar i daa aan naxariistaa Alle isku qaboojiyee*".
Maalintaasi waxay ahayd baa la yidhi, maalintii koowaad
ee uu Tabaase arko Cilmi oo ilmo ka qubanayso
dhabannadiisa.

Isla habeenkaas aad ayuu u xanuusaday Cilmi. Taah iyo
gurxan ayaa ka baxayey. Saaxiibadiina hareeraha ayey
ka fadhiyeen habeenkii oo dhan. Taahii, reenkii iyo
gurxankii ka baxayey wuxu ku riday fajiciso. Mar dambe
oo waagii beryey ayuu soo baraarugay. Si fudud ayuu u
soo baraarugay. Markaasuu booday. Hareerihiisa ayuu
eegay, sidii oo uu dad kale meesha ku ogaa. Markaasuu
yidhi: "*Oo illeen waan riyoonayey*". Dabadeedna
gabaygan ayuu mariyey:

Ma samaynin waayahan tixdii, saaniga ahayde
Waataan ka saahiday tan iyo, sebenkii dayreede
Xaluun ba saqdii dhexe hurdada, wax i salaameene
Aan sifeeyo inantii tiriig, saxan la moodaayay

Dabadeed waxa uu sifeeyey gabadhii uu jeclaa oo isaga
aan cidnaba ula sinnayn. Soomaali, Carab, Hindi iyo
dadkii la yaqaannay oo dhan way kala qaayo weynayd.
Wuxu ku soo gabagabeeyey gabaygiisii:

Soomaali iyo Carab iyo Hindiga, Sooyo laga keenay
Inta samada hoos joogta waad, ugu sarraysaaye
Soo soco Sidciyo qaaliyey, saanad baad tahaye

Markii uu intaa dhammeeyey ayey is eegeen Muuse-
carab iyo Tabaase. Markaasuu Tabaase yidhi: "Waar
Muusow malaha waxan uu Cilmi sheeganayaa waa ka
dhab; illeen waakan qayirmay ee quruxdiisi
doorsoontaye". Muuse inta uu quraac u keenay ayuu
maalintaa iska shaqo tagay. Tabaase iyo Cilmi ayaa
gurigii ku hadhay. Markaa Tabaase ayaa Cilmi ku soo
hadalqaaday jacaylkan iyo waxan uu sheeganayo.
Dabadeed wuxu Cilmi ku yidhi: *"Alla yaa Tabaasow
kugu wareejiya waxa i haya, si aad u dareentid"*. Markii
waxoogaa la joogay ayey Cilmi Hurdo qabatay oo uu
seexday. Dabadeed Tabaase wuu ka yara tegay.
Maadaama oo ay Cilmi hurdadu ku yarayd saaxiibadii
way xaqdhowri jireen marka ay hurdo qabato oo
sanqadha way ka ilaalin jireen. Duhurkii ayaa Muuse oo
soo rawaxay ku soo noqday Cilmi oo markaa toosay
laakiin aan quraacdii saaka loo dhigay u kicin oo cunin.
Markaas ayuu ku yidhi: *"Waar Cilmiyow soo kac oo
lebbiso, aynu meesha iskaga baxnee"*. "Xaggee ayeynu
tagnaa" ayuu Cilmi su'aalay. "Makhaayadda" ayuu ugu
warceliyey Muuse. "Waar iga daa, cuntana ma rabo
manta e, in aan baxana ma rabee" ayuu si diidmo ah ugu
yidhi. "Waar hudheelkana waynu ka sii qadaynaynaa,
Caasha-na waynu u tegaynaaye ina keen" ayuu Muuse
ku sii adkaystay.

Waxa la yidhi:⋯⋯⋯

Waxa jirtay gabadh reer Berbera ah oo Caasha la odhan
jiray. Sheekada Cilmi si wanaagsan ayey ula socotay.
Hodan-na jaar ayey ahaayeen. Markaa Muuse wuxu u

sheegay in ay Caasha u tegayaan qadada ka dib oo ay ka codsanayaan in ay Hodan ugu yeedho. Markaa Cilmi wuu kacay. Degdeg ayuu u maydhay. Wuu lebbistay. Wuu feedhay. Dabadeedna way bexeen. Hudheelkii cuntada ayey sii mareen. Dabadeed Caasha ayey u tageen. Way is xaal waraysteen. Dabadeed Muuse ayaa ku yidhi: "Caashaay waad ogtahay ninkan xaalkiisa. Hodan-na waydinkan jaarka ah. Markaa waa in aad Caasha noogu yeedho. Annaguna guri halkan ah ayaannu ku soo yara nasanaynaaye ha u sheegin Hodan in aannu kuu nimid iyo in aannu kuu imanayno toona". Caashi halkii ayey ka hawlgashay oo guntiga ayey dhiisha iskaga dhigtay. Hodan ayey u tagtay oo ku tidhi; kaalay dhar ila maydh. Sidii ayey Hodan ku soo raacday. Wixii hawl ahaa ee u yaallay markii ay la qabatay, waxa la waayey innamadii. Kolba sheeko ay ku joojiso ayey u furtaa ilaa aakhirkii ay ka quusatay Cilmi iyo Muuse. Hodan way iska tagtay. Show Cilmi waxa qabatay lulo oo wuu seexday. Saaxiibadiina way xaq-dhawri jireen marka uu seexdo oo ma aanay toosin jirin. Mar dambe ayuu soo baraarugay. Waxay u soo yaaceen dhinaca gurigii Caasha. Mise Hodan meeshaba ma joogto!. Waxay soo galeen isla markii ay Hodan baxday. Caashi way ku xanaaqday oo ku qaylisay Cilmi iyo Muuse. Waxay u sheegtay sidii ay Hodan meesha ku keentay iyo sidii ay u raajisay. Cilmi wuu madoobaaday oo murugooday. Wuxu isu qaatay mid nasiib daran oo aan wanaagba lala rabin. Gabay calaacal ah ayuu meeshii ka tiriyey. Wuxu yidhi:

Hadhka galay hurdadu way xuntee, hohe maxay seexshey
Muusow hungoobaye maxaa, Hodan i weydaarshey
Bal in aan habaar qabo maxaa, Hodan I waydaarshay
Hoygii ay joogtiyo maxaa, hilinka ii diidey

Markii uu dhammeeyey ayuu Muuse ku yidhi: "Cilmiyow iska calool adayg, mar kale ayeynu Hodan jaanis u heli doonnaaye".

Waxa la yidhi······
Markii taariikhdu ku beegnayd 1935 oo jacaylka Cilmi afar sano marayo, ayey Hodan ka xagaa baxday magaalada Berbera. Markii ay muddoo sii maqnayd ayey Cilmi saaxiibadii u yeedheen oo su'aalo ka waydiiyeen jacaylkii Hodan. Had iyo jeeraale waxay jeclaan jireen inay Cilmi ka maqlaan; "waan ka hadhay Hodan". Markaa waxay waydiiyeen bal in wax iska beddeleen fikirkiisa maadaama oo ay Hodan muddo sii maqnayd. Dabadeed inta uu cabbaar aamusnaa ayuu ugu jawaabay hadal tix iyo tiraab isugu jira. Tiraabtu waxay ahayd: "Hodan ha joogto ama ha maqnaatee, weligay kama hadhayo, waayo waxay ku jirtaa qalbigayga". Tixduna waxay ahayd:
"Nimanyahaw dabuub gabay beryahan, kuma danuukhayne
Kolba aniga oo daayey baad, igu diraysaane
Idin diidi maayee waxaan, dood u celin waayey
Mid duusho yarbaa Eebbahay, iigu daw galayey
Aqal daahyo weyn derged iyo, daar middaan galaba
Dallaalimo habeenkii haddaan, meel duddo ah seexdo

Dayax iiga muuqdheer midduu, duunku caashaqaye
Iga daaya hadalkeedu wuu, iiga darayaaye "

Markaas ayey Cilmi Saaxiibadii ogaadeen in uu ka sii
daray oo aanu ka soo rayn lahayn. Waxa la yidhi marka
uu Cilmi gabyayo wuu ilmayn jiray. Saaxiibadiina
dhibaatooyin badan ayey la soo muteen wakhtiyadii
dambe oo dhan, haba u sii darraadeen Muuse iyo
Tabaase eh. Markii uu gabaygaas kore dhammeeyey
ayey saaxiibadii kala dhaqaaqeen, ayaga oo quus taagan.

Waxa la yidhi······
Markii ay taariikhdu maraysay 1937kii warka jacaylka
Cilmi meel kasta wuu gaadhay. Dhibaatadiina way ku sii
badatay. Xaggii Hodan iyo reerkoodana wax ka soo rayn
ah lagama helin. Hodan waxay ku yara maqnayd markaa
xagaa-bax. Markaa asxaabtii Cilmi waxay go´aansadeen
in magaalada laga dhoofiyo oo uu soo dal doorsado.
Laga yaabee in uu ku soo caafimaado hawadaa uu
beddelanayo. Laga yaabee in uu ka soo nasto buuqa iyo
dadkan wareerinaya ee sheekadiisa iyo xantiisa ku
mamay ee isaga maaweelada ka dhigtay. Laga yaabee in
marka uu ka fogaado Hodan agteeda iyo araggeeda, in
uu illoobo oo ay qalbigiisa ka go´do, illeen waa tii la
yidhi: "*Haddii ishu fogaato, uurkuna wuu fogaadaye:* اذا
بعدت العين بعد القلب‎". Waxa la go´aansaday in magaalada
Burco loo diro oo uu halkaa muddo ku soo hawo-
geddisto, isagana lagu qanciyo bal inta Hodan

maqantahay in uu isna soo hawo-geddisto. Inkasta oo ay
ku adkayd Cilmi in uu ka dheeraado meesha ay Hodan
deggentahay, haddana wuxu qaadi kari waayey
asxaabtiisa qaaliga ah. Intii aanu bixin ayey Hodan-na
xagaabixii ka soo laabatay. Markaa Cilmi wuxu isku
dayey in uu ka baaqdo safarka, laakiin wuxu waayey
meel uu ka maro go´aankii asxaabtiisa. Burco ayuu u
anbabaxay, isaga oo ay ilmadu ka qubanayso labadiisa
dhaban. Wuxu saaxiibadii ka codsaday in ay Hodan ka
gaadhsiiyaan farriin ah in uu Burco yara gaadhay oo uu
dhakhso u soo noqonayo. Waxanu ku sii dardaarmay in
wararka Hodan loola soo socodsiiyo tallaabo tallaabo,
inta uu maqanyahay.

Waxa la yidhi······
Markii uu gaadhay magaalada Burco ayaa la isu wada
sheegay in uu magaalada soo galay ninkii gabadha ku
jeclaaday Berbera ee laga sheekayn jiray. Maxaa
yeelay, warka Cilmi meel walba wuu ka dhacay oo wuxu
noqday sheeko maalmeedka dadka soomaaliyeed meel
kasta oo ay joogaan. Dabadeed dadkii oo dhan, yar iyo
weyn, rag iyo dumar waxay dooneen in ay arkaan oo
daawadaan ninkan la sheegayo. Qaarkoodna waxay u
jeel qabeen inay ka waraystaan qisadiisa iyo
gabayadiisa. Markii uu dariiqii ku ammaan waayey, ayey
xiitaa gurigii culays ku saareen oo ku mashquuliyeen.
Isaga oo Burco ku kadeedan oo diiqad iyo wareer ka
qaaday dadkan ku soo xoomaya, dhinacii Berbera iyo
Hodan-na aan wax war ah ka helin muddo, ayuu helay

nin ay is yaqaanneen oo isku qolo ahaayeen oo Berbera
u socda. Ninkii ayuu farriin ugu soo dhiibay saaxiibadii.
Farriintaasi waxay ka koobnayd war isugu jira tix iyo
tiraab. Tixdii ayeynu halkan ku xusaynaa. Isaga oo ninkii
ku halqabsanaya ayaa wuxu yidhi:

Inaadeer hagaagtaye haddaad, hilinka sii qaaddo
Hataq iyo Ilaah kuguma rido, hogobihii Sheekhe
Mid hubsiimo badan baad tahoo, halo la siiyaaye
Adigaan halyeey kuu gartiyo, hurintii Daa'uude
Hillaac baa Berbera iiga baxay, Hodan agteediiye
Hurdadana habeenkii ma ledo, had iyo waagiiye
Sida hoorrimaad baa qalbigu, ii hanqanayaaye
Waa lay horjoogaa sidii, horudhacii geele
Inaan haybiskeed dhigay hadday, Hodan i moodeyso
Gabadh kale oon haasaawiyaa, weyga haniyaade
Haddaan hadiyad caano ugu diro, hoohidaa gubiye
Maxaan kula hagaagaa yartii, way hanweyn tahaye

Gabaygaas wuxu u raaciyey hadallo tiraab ah oo uu kaga
warramayo xaalkiisa iyo sida weli jacaylkii Hodan ugu
lammaanyahay, uguna sii batay. Wuxu uga cawday sida
aanu wax war ah uga helin tan iyo markii uu ka yimid.
Ugu dambayntii wuxu ka codsaday inay uga soo
warramaan Hodan iyo waxa ay ku eeddantahay.
Farriintii way gaadhay Berbera. Warkii Cilmi soo dirayna
wuu ku faafay magaalada sidii caadada ahayd.

Waxa la yidhi·······
Intii Cilmi joogay Burco waxa Hodan soo doonay oo la
siiyey ninkii marka dambe guursaday oo la odhan jiray
Maxamed Shabeelle. Dabadeed saaxiibadii waxay u soo
qoreen Cilmi warqad degdeg ah oo ay ugu sheegayaa
shilka dhacay. *"Saaxiib Cilmiyow salaam ka dib,
waxannu ka xunnahay in aannu kuu sheegno in Hodan la
siiyey nin reer Berbera ah inkasta oo aanu weli meher
ku dhicin"*, ayey u soo tebiyeen. Warqaddii markii uu
akhristay –waa haddii ay warqad ahayde– Cilmi aad
ayey uga nixisay oo werwer iyo walaac horle ayey ku
beertay. Wuxu ka qoomamooday imaatinka uu yimid
Burco isaga oo isku qanciyey haddii uu Berbera joogi
lahaa in aanay waxani dheceen. In aan Hodan la soo
haweysteen. Markaa laba habeen ayuu Cilmi hurdo ka
kici waayey. Wax cunto ahina jidiinkiisa kama ay degin
labadaas habeen ayaa la yidhi. Dabadeed tix gabay ah
ayuu waraaq ugu soo qoray saaxiibadii isaga oo uga xal
warramaya dhibaatada ay gaadhsiisey farriintii ay u soo
direen. Wuxu yidhi:

Sidii geel harraadoo wax badan, hawdka miranaayey
Oo haro la soo joojiyoo, kureygu heegaayo
Oo hoobeyda loo qaadayiyo, hadal Walwaaleedka
Kolkaad Hodan tidhaahdaanba waan, soo hinqanayaaye
Hadday hawl yaraan idin la tahay, aniga way hooge
Ayadoon xabaal lagu ham siin, waanan ka hadhayne
Hammada beena baan idhi malaa, waad la huruddaaye
Jin uun bay hadoodilay mid ay, habar wadaageene
Hareertayda oo madhan is idhi, haabo gacanteeda

Goortaan hubsaday meel cidla ah, inan ku hawshooday
Hogaansigeedii dambaan, soo habaabiraye
U haylhaylay gogoshii sidii, halablihii Aare
Siday iga halleeyeen maryii, hiifay oo tumaye
Haab-haabtay labadii go'oo, shaadhkii maan heline
U hammiyey sidii wiil la dhacay, kadin ay haysteene
U handaday sidii geel biyaha, hoobay loo yidhiye
U hagoogtay sidii geesi ay, niman ka hiisheene
U hiqleeyey sida naag la yidhi, huray dalaaqdiiye
Waxanad haynin ood haybsataa, habartaa weeyaane
Hoheey iyo Hoheey maxaa, hadimo lay geystey

Tixdaa gabayga ah wuxu u raaciyey farriin ku socota
saaxiibadii oo ahayd in uu degdeg u imanayo magaalada
Berbera.

Waxa la yidhi······
Ayaamo yar ka bacdi ayuu Cilmi ku soo noqday Berbera,
ayada oo xiisad weyni ka taagantahay Cilmi iyo bixinta
Hodan. Sida la sheegayo dhawr maalmood ayaanu guriga
ka soo bixin. Xamaasadduna way badnayd oo waxa la
isla dhex marayey Cilmi wuu yimid iyo muu iman.
Dabadeed maalin maalmaha ka mid ah ayuu magaalada u
soo baxay oo yimid makhaayad ilyartu is qabatay.
Dhallinyaro badan oo ay kaftami jireen ayaa joogtay.
Markiiba waxa lagu boobay kaftan ku saabsan bixinta
Hodan iyo jacaylkiisa. Markaa goobtaa wuxu ka jeediyey
gabay aan la filayn oo calaacal iyo hanjabaad isugu jira.
Wuxu yidhi:

Cilmi-boodhari:

Nimanyahow gabay waa murtiyo, maaran kala waaye
Rag uun baa maroor wax u tusee, kaygu waa malabe
Sida Sheekh muftiya oo cilmiga, meel ku marinaaya
Waw muhanayaa maansadaad, mari i leediine
Haddaan madar ka sheegaayo oon, wallo ku maansoodo
Martuba way ka dhici layd hablaha, muxubbo owgeede

Murugada calooshayda iyo, muhanka laabtayda
Miyi waxan la tegi waayey iyo, madaxdii Daa'uudka
Meeraysigeedii waxaan, ula madoobaaday
Nin mataanihiisii gacmaha, meel dhigtaan ahaye
Mid kalaa la tegay geenyadii, maanku ku xidhnaaye
Dadkiibaa masooboo ninkii, magac lahaa eedye
Muruq kuma kaxaysane rag buu, magansanaayaaye
Haddii aanan mahiig iyo ka biqin, murabidkaa gaalka
Ama aan mashnaqo lay sudhayn, maalin ma hayeene
Alla magane sow dowladani, meesha kama dhoofto

Afartaa intaan miim ka dayey, marin ma qaadsiiyey
Midda kalena waa maansaday, muhatay laabtaydu

Mariil baa qardhaas loo qoraa, meelo la qabtaaye
Miridh baa la gooyaa cishqaan, cidina maarayne
Inantaan naftayda u makalay, way i moog tahaye
Mid kalaaba loo meheriyoy, meel u gogoshaaye
Micna gaabanow dumar inaan, malo la waydiinin
Waa waxa martiyo loogu xidhay, marada shaydaane
Muxubbiyo makaawaba yartii, magac waxaan siiyey
Maydhkii khasaaraysay iyo, maaddi gabayeede
Waa ii muraad li'l waxaan, uga muraaqoone

Mitaalkeeda waan heli lahaa, Maydh haddaan tago,e
Mudanihii Cismaan iyo bal aan, Maakhir haybsado, e

Halkii waxa uu ka sheegay baa la yidhi in naftiisa lagu
soo duulay oo lagu gardarrooday oo arrintani tahay dil
loola badheedhay iyo inay naftiisu khatar ku jirto. Taas
oo muujinaysa in Cilmi dareensaa noloshiisu inay halis
ku jirto haddii uu Hodan calfan waayo. Dabcan waana
sidii ay u dhacday aakhirkii.

Dhinac wuxu ka canaanayaa Hodan oo wixii xikmad iyo
ammaan uu ku shubay ama wixii uu tusaale ka siiyey
jacaylkiisa ay dhaqaajin waayeen. Taas wuxu mar ku
sababaynayaa dumarnimadeeda marna maangaabnimo.
Waxase meesha ku jirta in aanay awoodba u lahayn
nafteeda oo aanay dhaafi karayn talada reerkooda. Waxa
kale oo uu ka cawday laba qolo oo uu ku sheegay in ay u
suurtogeliyeen ninkan gabadha u soo fadhiistay in uu
taas ku dhiirrado. Mid ahaani waa qolo uu ku sifeeyey
inay magangelyo iyo garab siinayaan ninkaas Hodan ka
guursaday. Qolada kalena waa gumaystihii Ingiriis oo uu
ka baqanayey inay deldelaan haddii uu isku dayo in uu
ka aar guto ninkaa isaga ah. Bal u fiirso:
Mid kalaa la tegay geenyadii, maanku ku xidhnaaye
Dadkiibaa masooboo ninkii, magac lahaa eedye
Muruq kuma kaxaysane rag buu, magansanaayaaye
Haddii aanan mahiiggiyo ka biqin, murabidkaa gaalka
Ama aan mashnaqo lay sudhayn, maalin ma hayeene
Alla magane sow dowladani, meesha kama dhoofto

Waxa la yidhi ··········

Waagaas uu Cilmi la daalaadhacayey jacaylka Hodan, waxay sheekadiisu ku faaftay geyiga Soomaaliyeed oo dhan. Haddii markii hore lala yaabbanaa ama lagu maadsan jiray, markii dambe waxay saamayn ku yeelatay dad fara badan isaga oo Cilmi weli nool. Waxa bilaabmay rag kale oo gabayo ammaan ah u tiriyey dumar ay jeclaayeen. In lagu dhiirrado sheegsheegidda dareenka loo qabo gabadh la jecelyahay loogama horrayn Cilmi, laakiin waa lagaga dayday. Haddaba waxa bilaabmay suugaan lagu tartamayo oo nin waliba gabadha uu jecelyahay, quruxdeeda, qaayeheeda iyo jacaylka uu u qabo iyo sidii uu ula dhaqmi lahaa kaga sheekaynayo. Waxay noqotay wax la iskaga daydo oo lagu tartamo. Raggii wagaas gabayada dumar-ammaanka ah is dhaafsanayey waxa ka mid ahaa Cabdigahayr, Cige-Baraar, Ina Baar, Muxumed Cabdi Aw Xaashi, Faarax Cali-jar iyo rag badan oo kale. Gabayadii ragga kale is dhaafsanayeen waxay qaarkood noqdeen suugaan shacbi ah oo aroosyada lagu tunto sida gabayga *"Lagu mood dhirtii maacaleesh, midhihii saarnaaye, lagu mood madiixoo dhashiyo sidigti maandeeqe"* oo marka jiib iyo sacab la isugu daro ahaan jirtay qurux keli ah.

Maalin maalmaha ka mid ah oo Cilmi agtiisa lagaga faallooday gabayadaas socda ee abwaaniinta waaweyni ay ku tartamayaan ayaa Cilmi la waydiiyey in uu isna wax ku darsado. Laakiin Cilmi wuxu ku deedafeeyey in dumarka ay sheegsheegayaan aanay la mid ahayn

Hodan. Jacaylka uu u qabaana aanu la mid ahayn ka ay sheeganayaan nimankaasi. Isaga oo ku halqabsanaya ninkii su'aasha waydiiyey oo la odhan jiray Ducaale, ayuu yidhi Cilmiboodhari:

Maryama Xaashi iyo tuu Gahayr, Madar ka sheegaayo
Iyo marantiduu Cige Baraar, meel fog kaga boodey
Muran ma leh Ducaalow inay, muunad dheer tahaye
Maankaba ka jaray naago kale, muhindiskoodiiye
Haddii qaaddi ii meheriyoo, midigta lay saaro
Ka mabsuuday oo dunidu way, maalintaa qudha, e

Gabayada Cilmi kaga faallooday jacaylkiisa iyo halka ay kaga taallo Hodan lama wada hayo. Maaddaama bulshada Soomaaliyeed aanay waxba qori jirin, wax badan ayaa dhexda ku lumaya oo aan la xafidi Karin. Wax-qoris la'aantu khasaare weyn ayey u soo geysatay hiddaha iyo dhaqanka Soomaalida. Waayo? Soomaalida waxa lagu tilmaamaa *"Qoomiyaddii wada gabyaaga ahayd"*. Waayadii hore waxa dhici jirtay in tobankii qofba afar ama lix ay gabyaa ahaan jireen. Laakiin dadkaas suugaantoodu waxay la dhiman jirtay wakhtiga. Waxa sii riiq dheeraan jiray qof qofka mucjisada ah ee suugaantiisu xad dhaafka tahay. Kaa qudhiisana suugaantiisu kama gudbi jirin qarniyo.

Haddaba Cilmi wuxu la mid ahaa sugaanyahankaa hore ee ku soo beegmay ama ka soo dhexbaxay umad aan waxba qorin. Taas oo aynu ka fahmi karno in suugaan badan oo Cilmi lahaa ay sidaa ku luntay oo aan lahayn. Suugaan kalena waxyar ayaa laga hayaa. Suugaan

kalena lama xaqiijin karo munaasabaddii ama qisadii ay ku soo baxday. Waxaynu ka soo qaadan karnaa gabaygan soo socda ee Cilmi ku mataalayo Hodan sidii saacad ka socota wadnihiisa. Wuxu yidhi:

Kolba aniga oo sahashadoo, saari ka ahaaday
Sidrigay ku daabacan tehee, uma sakhraameene
Sidii saacaddiibay qalbiga, iiga socotaaye
Habeenkii markaan seexdo way, ila safaaddaaye
Salaaddii horay iga tagtaa, siigo noqotaaye

Waxa la yidhi·········
Hodan Cabdille Walanwal waxay la joogi jirtay eddadeed. Eddadaasi waxay ka mid ahayd dadkii sida aadka ah uga shaqeeyey, una fududeeyey in Maxamed Shabeelle guursado Hodan. Haddaba 1937kii ayaa dawladdii Ingiriisku beddelaad shaqo u qortay Maxamed Shabeelle. Beddelaaddaas oo ahayd in uu muddo sannad ah ka soo shaqeeyo magaalada Maydh. Markaa Maxamed Shabeelle wuxu ka werweray in muddadaa uu maqanyahay wax iska beddelaan arrinta Hodan, sababtoo ah xamaasad weyn ayaa ka taagnayd magaalada Berbera. Dabadeed wuxu go'aansaday in uu Hodan mehersado inta aanu u wareegin Maydh. Markaa Hodan eddadeed ayaa farriin u dirtay Cabdille Walanwal oo ka shaqaynayey magaalada Laascaanood. Farriintaas oo ahayd in uu yimaaddo Berbera si loo meheriyo Hodan. Cabdille Walanwal wuxu yimid Berbera, Hodanna waxa loo meheriyey ninkii ay u doonnanayd ee

Maxamed Shabeelle. Dabadeed Maxamed Shabeelle
wuxu sii aaday meeshii shaqada loogu wareejiyey ee
Maydh.

Waxa la yidhi·······
Sannadkaas murugada iyo Ciilka badnaa wuxu isku
dayey Cilmi in uu calool adaygo oo is illowsiiyo Hodan.
Xiitaa in uu Berbera iskaga tago ayuu go´aansaday.
Doon ayuu ka raacay Berbera isaga oo rabay in uu u
wareego magaalada Jabuuti. Hasa yeeshee markii uu
marayey Saylac ayuu xanuunkii jacaylku ku siiyaaday oo
ogaaday in aanu jacaylka Hodan sinaba uga go´ahayn.
Wararka qaarkood waxay sheegayaan inay saaxiibadii u
direen dhinaca Saylac si uu u soo hawo-geddisto, una
soo illoobo Hodan. Waa suurtogal in Cilmi saaxiibadii
markan u masaafuriyeen dhinaca Saylac. Laakiin
Cilmiboodhari iyo Jabuuti waxa ka dhexeeya xidhiidh oo
wararka qaar ayaaba sheegaya inuu mar halkaa u tagay
si uu soo shaqaysyo xoolo uu ku guursado Hodan.

Intii uu Cilmi joogay Saylac waxa Berbera ku soo
noqday Maxamed Shabeelle oo la aqal-galay Hodan.
Arrintaa waxa uga soo warramay Cilmi saaxiibkii
Muuse-carab oo warqad u soo diray. Markii warqaddu
soo gaadhay aad buu uga caloolxumaaday. Wuxu soo
diray gabay degdeg ah oo uu dabaysha faray,
maaddaama ay iyadu ka dhakhso badan tahay doonyaha.
Kollay dabayli war ma qaaddo eh, Cilmi wuxu
isticmaalayey mala-awaalkiisa bal waxa ugu dhakhsaha

badan ee farriintan gaadhsiin kara Hodan. Malaha waa
qofkii ugu horreeyey ee Soomaali ah ee mala-awaalay in
farriin loo dhiibo wax aan dad ahayn. Isaga oo taa
dareensan waa kii lahaa:
Malahay dabaylo hadlayaa, dunida waw koowe
Anuu daayin igu dhaariyoo, dood i soo faray dhe

Gabaygii si uu ku soo gaadhayba waa uu yimid
magaalada Berbera. Gabaygaas isaga ah ee Saylac laga
soo diray waa kan isaga oo dhammaystiran:

Dabayl-yahay adaa duulayoon, orodka deynayne
Adigaan dakaamayn siduu, Eebbe kuu diraye
Adigaa dulmari meel hadday, dogobbo yaallaane
Adigaan dariiqii xun iyo, daw ku celinayne
Adigaan darbadhahayn naf waa, lala dallumaaye
Daayinkaaban kugu dhaariyee, duuli hadalkayga

Doonyahaba waw dhiibi laa, duub waraaqo ahe
Degdegsiinyo uun baan jecloo, waan ku doorbidaye
Daayinkaaban kugu dhaariyee, daabac hadalkayga
Ammaanada adow daacadoon, kuu durraansadaye
Yartaan damacsanaa baa yidhi, duul kalow baxaye
Daaroole weeyaan halkaan, Daawi ku ogaaye
Dalyaqaanka Muusaa yaqaan, dawga loo maro`e
Meeshii Dalleeniyo adaan, Daah ku celinayne

Dugta yahay! Nin baa aawadaa, Dibad ku laabnaa dhe
Oon oomatada hoos u deyin, adi daraadaa dhe
Malahay dabaylo hadlayaa, dunida waw koowe

Anuu daayin igu dhaariyoo, dood i soo faray dhe
Damiinnimadu way foolxuntoo, kaa dan gaabsaday dhe
Dudumooyinkoon la hadlayaa, doog ka bixi laa dhe
Dirrrida iyo Buuruhuna way, damaqsan laayeen dhe
Sidaadaa mid aan didib ahayn, kumaba daaleene dhe
Haddaad deyn ka duushoo mid kale, duunyo kaa bixiyo
Alle kaama duudsiyo xaquu, Aadmi kaa daho´e
Illeen hadalka layskuma daree, dawgay waxan mooday
Inta Dumarka loo guursadiyo, duugga anigaa leh.

Waxa la yidhi·········

Markii dambe Cilmi wuxu iskaga soo noqday magaalada
Berbera. Kama soo rayn ee wuu ka sii daray xaalkiisu.
1939kii waxay Cilmi ehelkiisu ku tashadeen in ay Cilmi
badbaadiyaan oo ay u guuriyaan. Hawshaas ehelku lama
gooni ahayne dad badan oo reer Berbera ahaa ayaa
talada wax kaga jiray. Cilmi arrintii ayaa la soo
hordhigay. Isna wuxu kaga jawaabay, aamus iyo madaxa
oo uu ka lulay. Yacnii diidmo qayaxan. Laakii xaaladda
Cilmi aad ayey u xumayd markan oo talo faraha uuguma
jirin. Wuxu ku jiray xaaladda la yidhaahdo: *"Nin buka*
boqol u talisay". Xiitaa markaa guurka la
oggolaysiinayey wax badan kama uu ogayn coladadihii
meel walba ka istaadhmay ee dagaaliii labaad ee
adduunka. Waase kii lahaa: *"Saraayaa la*
sheegsheegayaa, Seben colaadeede"

Cilmi waxa lagu jujuubay guurka gabadh la odhan jiray
Faakhira oo carabiyad ahayd. Berigii hore magaalada

Berbera waa la wada degenaan jiray oo Soomaalida waxa ku wehelin jiray Carab iyo Hindi. Hore waa tii loo yidhi:"*Iaabi laba u la* "". Faakhira wax kasta oo dumar loogu hawoodaa way u dhammaayeen laakiin Cilmi qalbigiisa waxa buuxiyey Hodan oo cid kale boos ugama bannaanayn. Waatii uu hore u yidh:
"Midnaay haysku kay Iurin qalbigu laba jeclaan waaye".

Waxa la yidhi:⋯⋯⋯⋯
Cilmi Hurdo ayuu ka bixi waayey. Inta uu soo jeedana wuxu ku hadaaqi jiray magaca Hodan. Haddii uu koob biya ah u baahdo, oo xaaskiisa Faakhira u diranayo, wuxu ku odhan jiray: **"Hodaneey koob biya ah ii keen"**. Dabcan taasi niyadda Faakhira cardaadiqaha ayey ka dhigaysay.

Waxa la yidhi:⋯⋯⋯⋯
Markii loo guuriyey Faakhira, dhawr casho ka dib waxay saaxiibadii ku soo qaadeen Hodan. Ayaga oo u tusaaleeyey sida aanay uba ogayn jacaylkan isaga wareeriyey. Inta badan dadku waxay isku dayi jireen inay Hodan nacsiiyaan oo ka quusiyaan. Haddaba maalintaa wuxu tiriyey gabay uu naftiisa ku canaanayo, Hodan-na kaga cabanayo. Wuxu yidhi:
Intaan adiga kugu gooni ahay, geed haddaan la hadlo
Ama aan gawaan qodayo may, gama'sanaateene
Gaaladu ha joogtee sidaa, gacal ma yeeleene
Gardarriyaa maxaan Hodan Cabdaay, kaaga go'i waayey

Sidii aad go'aygii tihiyo, macawistaan goostay
Ama aad godkii aakhiriyo, geeri iga baajin
Ama aan geyiga lagu ogeyn, gabadh kaloo joogta
Gardarriyaa maxan Hodan Cabdaay kaaga go'i waayey

Gadiidkii an toosaba adaan, kuu guntanayaaye
Goobtaan istaagaba dhulkaan, godad ka jeexaaye
Sidii aad gidaar tahay maxaa, kaa i garab taagey
Gardarriyaa maxaan Hodan cabdaay, kaaga gu'i waayey

Guunyana gammaan kolay ku tahay, gurigi joogteeye
Mana guursan kari waayinoo, geesi baan ahaye
Adaan kaa gungaadhaayeyoo, helay geddaadiiye
Gardarriyaa maxaan Hodan Cabdaay, kaaga goi waayey

Haatanse waan guursan haddii, guulle ii wacaye
Oo weliba gedahaa ka Dayan, gobolladiiniiye
Iyadoo gabiib u eg markaan, guga kaxaynaayo
Ee aan Gahaydhliyo la tago, gubannadii hawdka
Ee aan ganuunka ugu shubo, Gooha labankeeda
Gibladiyo cayaaraha markuu, geeljiruu tumayo
Ha geyoobin waataad lahayd, gool jabaan helaye

Gabaygaas markii uu ka dhacay waxa saaxiibadii u caddaatay in aanay ka go'ahayn Hodan laabta Cilmi. Guurkii lagu qasbay ee Faakhira, ma noqon mid raaga. Saddex bilood gudahood ayuu ku soo afjarmay. Gabadhan niyad uma hayo ayuu isla soo taagay Cilmi. Waanu iska furay. Faakhira beri dambe oo laga

waraystay Cilmi, waxay tidhi baa la yidhi: *"Cilmi wuxu
ahaa qof ka horreeya oo ka fiiro dheeraa dadkii uu la
noolaa"*.

Waxa la yidhi······
Wixi wakhtiyadaas ka dambeeyey Cilmi wuxu gaadhay
heer aan ka soo noqosho lahayn. Holocii jacaylku wuu
ku sii oomaaray. Oomato wuu ka go´ay. Hurdo way kala
dhaqaaqeen. Tamartiisina way baaba´day oo sariirta
ayuu ku soo ururay. Ehelkiisii iyo asxaabtiisi way ka
quusteen. Markaa maalin maalmaha ka mid ah ayey
guriga ku soo booqdeen niman dhallinyaro ah. Dabadeed
wuxu u mariyey gabay lagu sheegay kii ugu dambeeyey
wax gabay ah oo laga maqlo. Wuxu yidhi:

*Hooyaalayeey gabayga waa, lagu wanaajaaye
Anna waayirkiisaan ahee, waano iga qaata
Weegaarka cadi waa indhaha, walalac beenaade
Waxku-araggu waa wiilka oon, waayo kaa heline
Addinkoy wax gaaadhaanna waa, loo wakinayaaye
Weheluhu hadday kala tagaan, wiiqan ubadkiiye
Walaxdii dhinnaataaba way, kaa weyrixisaaye
Weris baa wuxuu wed iga helay, ila wacnaanleyde
Iyadana wadeecada adduun, wiil kalaw baxaye
Wadaamii qalbiga waxa la tegey, wililigteediiye
Intay waaninaysan dhulbaan, weel ka gurayaaye
Waa lay warramayaa dadbaan, weeye leeyahaye
Waxakani wareer iyo ka badan, caashaq waaxidahe
Walaalooyinow waxan ka biqi, inan ku waashaaye
Markan inan wareegaan damcoo, webiga jiidhaaye*

Wiirada raggiyo baan ka tegi, wadhida naagaaye
Waddankeeda Soomaali waan, sii waddacayaaye
Wuxu Eebahay ii waciyo, waa-danbe aan dhawro

Waxa la yidhi············.
Waayadii dambe ee Cilmi sariiryaalka noqday oo dhan, marka wax la waydiiyo, cabbaar ayuu cirka eegi jiray dabadeedna wuxu ku jawaabi jiray tix gabay ah. Markaa dabadeed waxa lagu yidhi: "Cilmiyow maxaad horta marka wax lagu waydiiyo ama lagu waaniyo aad cirka la eegtaa". Jawaabihii uu bixiyey waxa ka mid ahaabaa la yidhi, ereyada ku jira tixdan ugu dambaysa ee odhanaya:
Intay waaninaysan dhulbaan, weel ka gurayaaye
Waa lay warramayaa dadbaan, weeye leeyahaye

Waxa kale oo uu ku celcelin jiray baa la yidhi meerisyadan kale ee odhanaya:
Markan inan wareegaan damcoo, webiga jiidhaaye
Wiirada raggiyo baan ka tegi, wadhida naagaaye
Waddankeeda Soomaali waan, sii waddacayaaye
Wuxu Eebahay ii waciyo, waa-danbe aan dhawro

Halkaa waxa laga fahmi karaa in Cilmi garwaaqsday in aan adduunkan nololi ugu hadhin. Sidii ayaanay noqotay oo Cilmi ajashiisi ku dhammaatay. Waxa lagu aasay xeebta Batalaale ee magaalada Berbera oo noqotay meel lagu xasuusto Cilmiboodhari.

Halqabsiga jacaylka

Cilmi-boodhari wuu xijaabtay. Waxa hore loo yaqaannay in geerida sabab loo tiiriyo. Qof cudur dilay. Qof gabow dilay. Qof bahal cunay. Qof cadow dilay. Qof shil eersaday. Qof gaajo, harraad, kulayl ama qabow u dhintay. Xiitaa qof biyo ku haftay ama mid dab gubay. Waxaas oo dhan waa la yaqaannay. Laakiin lama aqoon qof jacayl u dhintay. Cilmi wuxu noqday qofkii koowaad ee geeridiisa lagu sababeeyey jacayl. Dabcan waxan u jeedaa Soomaalida dhexdeeda. Ummadaha kale qaarkood waa la sheega dad jacayl u dhintay sida Qays oo carab ahaa.

Markii uu Cilmi dhintay waxa soo baxay amuuro badan oo xus inaga mudan. Wax aka mid ah:

- In warkii Cilmi sii faafay oo Soomaali oo dhan wada gaadhay
- Dadka badankooda oo murugo iyo calooxumo ka qaaday nasiib-darrada la kulantay Cilmi-boodhari
- Hal-abuurradii oo ku dhiirraday inay dareenkooda jacayl ama ka loo sheegto, bannaanka soo dhigaan isaga oo suugaamaysan. Fankii Soomaaliyeed ee qaraamiga la odhan jirayna halkaas ayuu ka soo unkamay.
- Cilmi-boodhari wuxu noqday halqabsiga jacaylka. Qofkii ka cabanaya, jacayl gubaya, wuxu xusaa kii Cilmi. Qofkii ka cabanaya gabadh la fahmi wayday jacaylkiisa wuxu xasaa Cilmi-boodhari. Boqollaal maanso ama heesood ayaa si uun loogu

carrabaabay. Bal hadda aan tusaaleyaal yaryar ku
xasuusiyo:

1- Cabdi Cali Weyd:
Boodhariba caashaqu
Batalaale inuu dhigay
la soo booqdo ma ogtahay?

2- Cabdiqays

Ka hadh baan lahaa
Cilmi kuu la hoydoo
Hore uga mar baan idhi
Wixii Qays haleelee
Naftaydaan had iyo jeer
Haween laga ag waayine
Sow dumarku heesiyo
Heello iima qaadaan

3- Maxamed Ibraahin Warsame Hadraawi
Bi'i waa jacayloow,
Boodhari in uu dilay
Been baan u haystee

4- Siciid Saalax Axmed

Haddii ay Berberi tahay
Baradii jacaylkee
Boodhari ku aasnaa
Ka badbaadimaayee

Anna inan ku biiraa
Maanta layga baqayaa

5- Cali Saleebaan Bidde
Doqonow jacaylow
Sawdigii **cilmi** ba dilay
Qaysoon dambi ba galin
Iil dubuq ku siiyee

6- Faysal Cumar Mushteeg

Miskiinkii **Cilmi**
murugadii ku tegyoo
Waxaban u malaynayaa ma hubee
Inuu weli muusannaabaayee

7- Hadraawi
Hablaheenna biligiyo
Bilic lagu majeertee
Loo soohay baarkaa
Timahaa ka badannoo
Iyagaan bad iyo webi
Ugu baaqayaayoo
Anna biligta laafyaha
Baxsanaanta jaahaan
Ku baarugaayoo
Hadba tii I baabtee
Boholyow I gelisaan
Kalgacaylka **Boodhari**
Ku bariidiyaayoo

Boogaha jacaylkaa
Siiyaa badhkeedee

Kuwaasi waa tusaaleyaal aan ka badnayn deecaaminta
suugaan aan la tirin Karin oo lagu xusay jacaylkii
makalay Cilmi iyo isaga laftiisaba. Sida aad ka fahmi
karto beydadka kor ku xusan, waxay u badanyihiin
calool xumo iyo Calaacal. Maansooyinka ugu xeesha
dheer ee laga tiriyey jacaylkii Boodhari waxa ka mid ah
maansooyinka Hadraawi ee Hud-hud iyo Haatuf. Sida uu
Hadraawi laftiisu ka sheekeeyey, koox uu ku jiro ayaa
tegay magaalada Berbera. Waxay soo booqdeen qabrigii
Cilmi-boodhari. Markaa waxa laga joogay geeridiisa
dhowr iyo soddon sannadood. Waxay ahayd 1972dii.
Markaa waxay la noqotay Hadraawi inay habboontahay
in qabriga dushiisa wax suugaan ah lagu curiyo. Qabrigii
ayuu dulfadhiistay, waxanu curiyey maansada Hud-hud
ee uu tooska ula hadlayo Cilmi-boodhari, isaga oo ka
waraysanaya xaalkiisa iyo bal in uu cawil-celis ka helay
rafaadkii adduunka ku gaadhay. Markii uu muddo joogay
ayuu haddana allifay maansada Haatuf oo uu ka
dhigayey in Cilmi ka soo jawaabay Hud-hud oo uu kaga
warramayo sida uu uga raystay adduunyadii iyo
haweenkoodii mukurka badnaa. Bal haddaba hoos ka
akhri labada maanso ee Hadraawi.

Hud-hud iyo Hadraawi

Boqorkay huq iyo ciil,
Hagar-daamo lumisoow,
Hadimada kal-gacalka leh,
Cilmigii u hoydoow,
Heesaha baroorta ah,
Hal-qabsiga jacaylkoow,
Hambalyiyo salaaniyo,
Hibo iga guddoomoo,
Kolley waan hubaayoo,
Hawlii adduunyada,
Heshay aayahoodee;
Hal yar aan ku toydee,
Jannadii ma huruddaa?
Hadh qaboow ma jiiftaa?
Hoobaan ma gurataa?
Hablo Xuural-cayn ihi,
Sow kuuma heesaan?
Waxa aad la haysaba,
Hoo kuma yidhaahdaan?

Wedka lama huraayee,
Reer soo hayaamiyo,
Hayin raran ma kulanteen?

Hor Ilaahay adigiyo,
Hodan maysku aragteen?
Mays dhaafsateen hadal?

Bal maxaan haweenkiyo,
Dumar ugu hilloobaa?
Ama kula heshiiyaa,
Ugu hagar-la'aadaa?
Sowtay hir beeniyo,
Ku tuseen hillaacee,
Hogol aan da'ayniyo,
Hanfi kuu aroorsheen,
Hirwo kuu garaaceen,
Hungo kuugu baaqeen!

Sowtay ku hawleen,
Ku jareen hal-bowlaha,
Haadaan ku galiyeen,
Hore kuugu riixeen,
Hogga kugu dabooleen,
Hoos kuugu tuureen!

Sowtay ku heereen,

Hengelaa ku saareen,
Gudcur kuu hillaabeen,
Ku dhigeen habaaskee,
Cidla kaaga hoyden,
Hororkiyo waraabuhu,
Hilbahaaga jiiteen,
Haadda iyo xuunshadu,
Hanbadooda feenteen,
Waxaan ugu habranayaa,
Hooyaa ka dhalatoo,

Naaskii habreedbaa,
Iga hiilinaayee,
Wallee hawlahaan galo,
Iyo heegantaan dhigo,
Dumar lama hawaysteen,
Ragba ma hungureeyeen,
Hanti lagama dhiibeen,
Guri laguma hoysteen,
Hadal lalama yeesheen!

(2)GABAYADII CILMI BOODHARI OO TAFATIRAN

1. CAASHAQA HAWEEN

1. Caashaqa haween waa hora, Caadil soo rogaye
2. Sayidkii carshiga fuulay iyo, Caliba soo gaadhye
3. Carruurtay sideen meesha iyo, Ciise nabigiiye
4. Cidla´ lagama Beermeen dadkoo, cuudi waaxida,e
5. Waxa qaarba cayn looga dhigay, hays cajabiyeene
6. Soomaalida caado xune, iguma caydeene
7. Oo ima canaanteen sidaan, cuud ka iibsadaye

8. Kuwii ii calaacalayey baan, camal tusaalayne
9. Sida weelka caanaha haddii, laabta loo culayo
10. Bal aan soo cidaadee maxaa, cunaha dhaafaaya
11. Curuuqdiyo maxa kale dhex geli, cadaha hoostooda
12. Ma cidaamkanaan jebinayaa, cunaya dhuuxooda

13. Inanse cadaydo mooyee waxaan, calasho lay diidye
14. Caqliga yaa ka biin tuu Illaah, ku cir-caddaayeeyay
15. Cimrigayga oon jirin intii, lagu cirroobaayey
16. Mugga inaan caddaadaan ka biqi, canab daraadede
17. Cududuhu ma naaxaan qofkay, talo ku ciirtaaye
18. Casharkay wadaadu qoreen, cudurkan goyn waaye
19. Cilmi iyo dawaba doontayoo, waayey cilinkiiye

20. Jeeroonse canabeey ku helo, caafimaad dhimaye
21. Inaan caad noqdaa baa ka roon, caawa saan ahaye
22. Illayn caashaq lama maydhi karo, kugu cirrooloobay

1.1 FAALLAYNTA GABAYGA

Gabaygan "Caashaqa haween" waa gabaygii ugu horreeyey ama waa **kii labaad** ee Cilmi laga wariyey. Waa maansooyinka ugu xeesha dheer gabay la tiriyey marka la eego sida uu u qeexayo maaddada uu abbaarayo. Ilaa afar qaybood ayaa loo kala dhigi karaa.

1. Qaybta koowaad waa dood adag oo uu kaga hadlayo xaqiiqada jacaylka iyo jiritaankiisa. Jacaylka in uu ilaahay soo rogay oo aanu ahayn wax dad-samee ah ama iska yeelyeel ah, ayuu si miisaaman uga faalooday. Dabcan waa runtii oo jacaylka iyo nacaybkuba abuurta Ilaahay ayey la socdaan. Ilaa Nebi Muxaned iyo Sayid Cali ayuu jiray oo ayagaa soo gaadhay, ayuu ku sii dooday. Taasna waa xaqiiqo daliilkeeda leh oo Nebi Muxamed (csw) isaga ayaa laga weriyey "In la jeclaysiiyey dumarka iyo udugga". Jacaylka iyo taranta bina Aadanka ayuu xidhiidh ka dhaxaysiiyey. Asalkaba in rag iyo dumar la yahay oo laba nooc oo isu baahan la yahay, ayaa jacaylka keenaysa. Haddii hal nooc la ahaan lahaa taran iyo jacayl toona may jireen.

2. Qaybta labaad wuxu la doodayaa dadkan ku dhaleecaynaya jacaylka. Waxa uu ka codsanayaa bal inay u sheegaan wax sidii cidaadda uu ku soo

nadiifiyo laabtiisa oo bal jacaylka ka soo masixi
karta. Waa su´aal da´weyn oo madaxa daalinaysa.
"Sidii weelka caanaha haddii laabta loo culayo,
Bal aan soo cidaadee maxaa cunaha dhaafaaya"

3. Qaybta saddexaad waa awaala-warran ku saabsan
   xaaladdiisa caafimaad iyo sida uu naftiisa ugu
   baqayo. Wax kasta in lagu dayey laakiin uu quus
   ka taaganyahay isbeddel ku yimaadda.
   "Cimrigayga oon jirin intii, lagu cirroobaayey
   Mugga inaan caddaadaan ka biqi, canab daraadede
   Cududuhu ma naaxaan qofkay, talo ku ciirtaaye
   Casharkay wadaadu qoreen, cudurkan goyn waaye
   Cilmi iyo dawaba doontayoo, waayey cilinkiiye"

4. Qaybta ugu dambaysaa waa is diidooyin
   waaweyn. Wuu garanayaa meesha laga haysto.
   Hodan oo uu helo mooyaane in aanu caafimaad
   jirin. Haddana wuu jeclaan lahaa in uu bogsado,
   laakiin jacayl kugu dhex milmay lama maydhi
   karo.
   "Jeeroonse canabeey ku helo, caafimaad dhimaye
   Inaan caad noqdaa baa ka roon, caawa saan ahaye
   Illayn caashaq lama maydhi karo, kugu cirrooloobay"

5- Dadka qaarkood waxay halkan ku xigsiiyaan beyd
ama meeris aanan macnihiisa wada fahmin oo odhanaya:
(In aan kaa calool go´ay naftay, caymisoo ogiye). Wuxu

ka dambeeyaa: *"Cilmi iyo dawaba doontayoo, waayey cilinkiiye".* Waxanu ka horreeyaa: "Jeeroonse canabeey ku helo, caafimaad dhimaye"
Dadka qaarkoodna ma xusaan beydkan. Markaa waxan ku raacay dadka ka aan ku darin gabayga. Laakiin haddii macnihiisu inoo baxo lana xaqiijiyo in Cilmi yidhi, waynu ku dari doonnnaa.

1. EREY-FURKA GABAYGA

Caashaq: Jacayl. Ereygu waa Af carabi ku soo biiray Afsoomaaliga oo macnihiisu yahay jacayl daran.

Caadil: Eebbe. Allaha xaq-soorka badan

Sayidkii Carshiga fuulay: Waa Nebi Muxammed scw. Waatii la dheelmiyey habeenkii Al-israa wal-micraaj

Cali: Waa Sayid-cali Bin abii Daalib. Nebiga inaadeerkii ruma, kii inantiisa Faadumo qabay ee dhalay carruurtii Nebigu awowga u ahaa ee Xasan iyo Xuseen, isla markaana noqday amiirkii mu'miniinta ee afraad.

Ciise: Waa Nebi Ciise CS

Cuudi: waa erey Afcarabi ah oo macnihiisu yahay laan ama qori. Macnaha uu gabayga ugu jiraa waxa weeye

sida aan qori keli ahi waxba u tarin ayaanay dadkuna waxba tareen haddii ay jinsi keli ah ahaan lahaayeen.

Cuud: Xoolo, waa xoolaha nool ee la dhaqdo.

Camal: si la mid ah si kale. Tusaale

Culayo: Culiddu waa in qori maygaag ah iwm, isaga oo dab leh la dhexgeliyo weelka caanaha dabadeedna lagu xoqo si loogu nadiifiyo oo jeermiska looga dilo.

Cidaadid: Cidaadiddu waa in maydhax si gaar ah loo habeeyey lagu nadiifiyo weelka la culay ama daawaha wax lagu dubay

Curuuq: xididdo, waa erey Afcarabi ka soo jeeda oo macnihiisu yahay xididdo. Soomaali waxay u isticmaashaa macno ka yara ballaadhan xididdo keli ah

Cir-caddaayow: ku baaba'ay, ku dhex baaba'ay

Mugga: eegga, kalkan, wakhtigan

Cilmi: Cilmi waa aqoon laakiin halkan waxay ugu jirtaa cilmiga la isku dabiibo ee wadaadu yaqaanniin

Cilin: wixii keenay waxa laga hadlayo markaa.

Caad: Daruur baaba'day oo cadcaddaan khafiif ahi ka sii hadhay.

2. Waan dhadhabayaa

1. Nimanyahow dharaar iyo habeen, waan dhadhabayaaye
2. Dhulkuun baan xarriiqaa siday, dhiillo ii timiye
3. Sida qaalin dhugatoobayoo, geelii wada dhaafay
4. Dhallinyaro ma raacee kelaan, dhaxanta meeraaye
5. Dhaqtarkaa la geeyaa ninkii, dhaawac weyn qaba,e
6. Iyana waygu dheeldheelayaan, dhamacda Daa'uude

1. FAALLAYNTA GABAYGA

Gabaygan waa **kii ugu horreeyey** ama waa kii labaad ee Cilmi ka tiriyo jacaylkiisa inta la hayo. Dadka qaarkood waxay ka horraysiiyaan gabayga "Caaqasha Haween" ee aniguna aan ugu horraysiiyey. Gabaygan wuxu Cilmi xaaladdiisa u hogatusaalaynayaa dadkii saaxiibo iyo tolba lahaa ee ka garowsan waayey jacaylkan garba duubay, una garaabi waayey. Waa lix meeris oo laba-laba beyd isu raacsan, isuna dheellitiran. Bal eeg:

1- Labada beyd ee hore waxay inoo sawirayaan qof isla hadlaya oo wax uu jecelyahay ka fikiraya habeen iyo dharaar. Habeenkii hurdada ayuu qarwayaa. Maalintiina soo jeedka ayuu ku hadaaqayaa. Haddii meel fog laga fiiriyo waxa culayska haysta la moodaa nin ay xaajo uu maarayn kariwaayey ku soo degtay. Dhulka uun buu xarriiqayaa.

2- Labada beyd ee dhexe waxay muujinayaa go'doonka bulsho ee Cilmi la soo dersay. Wuxu isku metaalay qaalin yar oo xanuun dartii looga reebay geelii uu weheshan lahaa. Halkii uu dhallinyarada qayrkii ah kala tamashleyn lahaa, wuxu meeraystaa dhaxanta. Cidla joognimadan ma waxa ku keenay mashquulka ay maskaxdiisu ku mashquushay jacaylka Hodan oo meel ayuu naftiisa uga waayey cid aan Hodan ahayn. Mise Cilmi wuu inoo cabanayaa oo bulshadii uu ka tirsanaa ayaa ku dayrisay dhaqankan cusub ee uu la yimid? Dhaqanka cusub oo ah jacayl la muujisto oo qofkii la jeclaa la faafiyo. Bulsho muxaafid ah. Bulsho dumarka u taqaan caar. Bulsho cabbiraadda dareenka iyo baahidu dhexdooda ka yahay ceeb. Bulsho koolkoolisa hablaha oo bilanka sharaftoodu yahay bilanka sharafta qoyska, Sharafta beesha iyo sharafta bulshada. Cambaarta sharaftooda soo gaadhaana tahay cambaar ku dhegtay qoyska, qabiilka iyo bulshada ay ka tirsantahay. Bulsho noocaas ah oo bulsho-sharafeed ah ayuu Cilmi ka soo dhex baxay. Markaasuu bannaanka soo dhigay waxyaalo lama taabtaan ah. Weliba uga hadlay siyaabo wakhtigaas loo arkayey anshax-darro iyo meel ka dhac. Taasi waxay keentay in Cilmi la takooroo oo

dadkii oo dhami dhinac ka noqdaan. Nin fantaysan.
Tuke-cambaarle. Sidaasna way noqon kartaa
ujeedada Cilmi ka leeyahay hadalkan:
"Sidii qaalin dhugatoobay oo geeli wada dhaafay,
Dhallinyaro ma raacee kalaan dhaxanta meeraaye"

3- Labada meeris ee ugu dambeeya gabayga, waa
hogatusaalayn ah, waxa nimanka tolkii ah kala
gudboon caawimadiisa. Wuxu isku metaalay nin
dhaawac weyn qaba. Haddaba sida xeerka
tolliimadu dhigayo maxaa loo sameeyaa nin
dhaawac weyn oo halis ah qaba? Dabcan waxa
loola cararaa dhakhtar, waa la daweeyaa ama la
dabiibaa. Dabadeedna wuxu ku canaananayaa in
aanay arrintiisa ka yeelin wixii xeerka tolliimadu
farayey balse ay dheeldheel iyo ciyaar ka
dhigteen mushkiladda haysata.
"Dhakhtarkaa la geeyaa ninkii dhaawac weyn qaba e,
Anna weygu dheeldheelayaan dhamacda Daa'uude"

Marka aad is barbardhigto gabaygan "dhadhab"
iyo gabayga "Caashaqa haween" waxa kuu
muuqanaya in uu kani horreeyey. Sababtoo ah,
kan wuxu ka cabanayaa wax la qabasho la'aan,
halka "Caashaqa haween" uu ku sheegayo in wax
walba lagu dayey oo cilinkiisa la saari waayey.
Waa ka leh:
"Cududuhu ma naaxaan qofkay, talo ku ciirtaaye

Casharkay wadaadu qoreen, cudurkan goyn waaye
Cilmi iyo daawaba doontayoo, waayey cilinkiiye"

4- Beydka saddexaad waxay dadku u soo tebiyaan
siyaabo kala duwan. Buugga "Ma dhabbaa jacayl
waa loo dhintaa" wuxu Rashiid Maxamed
Shabeelle ugu qoray sidan: *"Sidii qaalin*
dhugatoobay oo geelii laga reebay". Laakiin sida
aad ka arkayso hooriska beydka oo ah sadarka
qaarkiisa dambe, waxa kuu muuqanaya in uu jaban
yahay. Waayo; waa lagama maarmaan in hojiska
ereyadiisa midkood ku bilawdo xarafka "DH" ee
uu gabaygu ku socdo. Sidaa darteed gabaygu
wuxu ku saxanyahay sidaa aan u qoray ee ah:
"Sidii qaalin dhugatoobay oo geeli wada dhaafay",
ama sida ay abwaaniin kale u dhigaan oo ah: *"Sidii*
qaalin dhugatoobay oo dhoobo lagu reebay"

2. EREY-FURKA GABAYGA

Dhadhab: Qarow, Hadrid, hurdada dhexdeeda oo lagu
hadlo. Hurdada dhexdeeda oo lagu arko muuqaallo kala
jaad ah. Riyo jinsi ah.
Dhugato: Cudur geela sambabada kaga dhaca oo qufac
badan ku keena. Qaaxada geela.

3. CAASHAQA HAREERTAADA QABO

1. Sida hogol kaliishii da'doo, milicdu ay hayso
2. Ama lebiga Hawdoo gugii, ubaxu heeryeeyey
3. Oo haadku dhaafoo shimbiro, cimilo goor heesa
4. Aadmigu ma helayee dhakhsuu, ugu hiloobaaye
5. Anna xiisahaan kuu hayaa kaba, hannaan dheere

6. Ninba tuu ka helay buu gabdhaha, Hodan ku sheegaaye
7. Oon heer-kastay qurux ka tahay, hawlin taa kale e
8. Anna dookhu adiguu huwaday, kuna hareer yaalle
9. Qaarbuu gabdhaa hilibka iyo, hugu cusleeyaaye
10. Adna inaanad haabkaa ahayn, hubiyey dhawr-jeere

11. Naasahan sidii hooto waran, hore u soo taagan
12. Dibnahaagan hiifkaba aqoon, hadal san mooyaane
13. Gudub halacsi daymada indhahan, hibada loo siiyey
14. Qosol hanaqa soo taabayoo, caashaq hurinaaya
15. Ilko aan hoggoodii ka lumin, kalana hoosaynin
16. Sankaagaa hannaankiyo qorshaha, hadiyad loo siiyey
17. Dhabannada hareeraha wejiga, halalac nuuraaya
18. Sunniyaha haabkoodan wacan, hadal dhammayn waaye
19. Luquntii habkii geri lahaa, halal wax dhaafsiisay
20. Timo hoos garbaha uga degoo, sinaha haab-haabtay
21. Heegga iyo laafyaha gamcahan, hibada loo siiyey
22. Dhexdan aan hareeraha u fidin horena, soo taagmin
23. Hannaan quruxsan waataa luguu, ka haqab beeleen

24. Gobonimo haddii laga hadlana, waa hirsood runa he
25. Hoo iyo waxsiin waxa ka roon, haab garaab qaba e

26. Adiguna hantiday oo caqligu, waa hub kuu dihine
27. Hadaaqaba ma dhaameen haddaan, hadalku toosnayne
28. Hayeeshee warkaad hurin taqaan, haa adoon odhane
29. Mar hadaad hufnaan gees kastaba, aad ka hanaqaaday
30. Adigey Hibaaqeey naftani, heegan kuu tahaye
31. Adaan hiirta waaberi dartaa, habataq luudaaye
32. Hanfigiyo kulayl-kiyo haddaan halowga soo jiidho
33. Oo aanan haabkiyo dhabtiyo, laabta kugu haynin
34. Ma harraado oonoo biyaha, uuma dayo hoose
35. Haamadayga dhaxanta cabbaar, hooy kama galo e
36. Hawlaha dalkaygiyo xilkaan, baayo hananaayey
37. Ku habsaamay taadii markaan, taydi hoos dhigaye

38. Magaalada hareertaad ka taal, eed u hoyonayso
39. Inaan helo haddii aan yartaay haabka aan geliyo
40. Aaweey hubqaad wacan anaan, hadal cid waydiinin
41. Hillaacaan sidiisii maraa, hagida aad taalle
42. Haatufkaan sidiisii walaal, ku hor imaadaaye
43. Haddii aan haddeen gelin intaan, dunida hoos joogno
44. Inaan kaa hawoodaa marnaba, waa habeen tegeye
45. Hayeeshee Illaah baa hayoo, calaf ku hoos yaalle
46. Haddaan Eebe hoo odhan wuxuu, u hunguroonaayo
47. Qofna abid ma soo helo wuxuu, haari ku ahaaye

48. Haddii aynu kala haayirnoo, laysu hiran waayo
49. Oo aan Hibaaqeey nasiib, adiga ii haynin
50. Nacas hayle-foosh iyo qorqode, garan hagaaggaaga
51. Midaan ku hidda-raacayn asaan, haybed kugu beerin
52. Urdun xume hanfiifsada kolkay, hawli soconayso
53. Haddii talada aan hayn lahaa, kuma horgeeyeene

54. Waxba yaanan sii hadaltiyeyn, hadalka qaarkiiye
55. I haleel jacaylkii intuu, soo hamaansadaye
56. Heensiyo hubkaa laba dhacuu, igu hogaanshaaye
57. Hayin aan biyaha daadin iyo, iga dhig hawl-mooge
58. Dhulka meesha hodaniyo nimcada, igu ag hayn waaye
59. Hogob laga hayaamiyo cidluu, ila hadaafaaye
60. Hiil qodaxle iyo jeerin buu, igu hagaajaaye
61. Waxaan hadimo soo maray waxaan, halowyo soo meeray
62. Hohi cabasho weeyee mar qudha, hiiftan maan odhane
63. Halbawlahaad i heertiyo lafahan, hilibku naafoobey
64. Nabarradan bog hoosiyo wadnahan, halac ka oogaaya
65. Haddii aan ku helibey bogsoon, haarta qoomaniye

66. Waa hubaale hays odhan wax buu, kuu hadoodilaye
67. Waa hadal nin waayeeli yidhi, hiilla kaa raba e
68. Waa hadal ka soo baxay ninkii, kuu harraad qabaye
69. Waa hadal ka soo baxay ninkii, kuu hadfee lumaye
70. Waa hadal ka soo baxay ninkaa soo hiloow ku lehe
71. Waa hadal qofkii la hordhigaa, oohin hoorsadaye
72. Waa hadal qofkaan caashaq helin, hawlyaraan la'ahe
73. Waa hadal markaan kugu hammiyey aan higgaad qoraye
74. Waa hadal wax badan baan habraye, uurku hayn karine
75. Waa hadal halkaad igaga taal, hoo ogoow ku lehe
76. Waa hadal hayii kugu lalabay, soo halaan-halaye
77. Caashaqa hareertaada qabo, hubiyey kaygiiye

3.1 FAALLAYNTA GABAYGA

Gabaygani waa kuwa ugu dhaadheer ee ugu macmacaan gabayada Cilmi-boodhari. Waxa la sheegaa in uu u tiriyey ama u mariyey Hodan mar isaga iyo saaxiibkii guriga ku booqdeen. Dadka qaarkood waxay shaki ka muujiyaan in gabaygan wax lagu dardaray oo aanu ahayn sidii uu Cilmi u tiriyey. Sababtuna waa dheerarkiisa faraha badan leh iyo isaga oo aan ku jirin buuggii uu qoray Hodan inankeedii Rashiid Maxamed Shabeelle. Waxanse shaki ka jirin in gabayga asalkiisa Cilmi leeyahay haba la naaxnaaxiyee. Haddiise ay jirto naaxnaaxin, waxa is waydiin leh A)qaybaha lagu daray 2) Cidda naaxnaaxisay c) iyo Gabayga asalkiisii sida loo heli karo. Gabayga waxa laga heli karaa meelo fara badan oo lagu daabacay sida degellada internetka ama buugaag. Waxa anigu markii ugu horraysay ka akhristay maqaal uu qoray Georgio Kaptchet oo xiganayey buug lagu magacaabo halqabsigii jacaylka oo uu qoray Ibraahim Maxameddeeq Ciise.

Haddii aynu u daageno nuxurka gabayga, waxaynu u qaybin karnaa ilaa todoba qaybood oo aynu leennahay:

1- Meerisyada 1-5 waxa uu Cilmi Boodhari inanta tusaale ka siinayaa xiisaha uu u qabo. Waxa uu ugu mataalayaa sida xiisaha loo qabo roobka, marka jiilaal dheer lagu soo jiray. Waxa kale oo uu xiisihiisa ugu mataalayaa, marka gugii dhirta ubaxu fuulo oo ay shimbiruhu ku soo ururaan

dushooda oo ay naftu u muraaqooto aragtidaas quruxda badan.

2- Halkan -beydadka 6-23- waxa uu abwaanku tusaale ka bixinayaa quruxda inanta ee soo jiidatay. Inkasta oo nin walba gabadha uu jeclaadaa ay la qurux badantahay, haddana wuxu Boodhari sheegayaa in ay iyadu hablaha ka duwantahay. Wuxu leeyahay; waan hubsadayoo ma tihid gabadh buuran oo hilib cusleeyey mana tihid gabadh caato ah oo hugu culaynayo. Waxa uu tilmaamayaa quruxda naaseheeda, dibnaheeda, daymadeeda, qosolkeeda iyo ilkaheeda. Wuxu tilmaanta la sii raacayaa, sankeeda, dhabannadeeda, sunneyaasheeda, luqunteeda, timaheeda, gacmeheeda iyo socod wanaaggeeda, dhexdeeda dhuuban iyo lugaheeda toostoosan. Allaylehe tilmaanta uu bixiyey way tahay mid qofka leh lagu caashaqi karo. Bal eeg:

Naasahan sidii hooto waran, hore u soo taagan
Dibnahaagan hiifkaba aqoon, hadal san mooyaane
Gudub halacsi daymada indhahan, hibada loo siiyey
Qosol hanaqa soo taabayoo, caashaq hurinaaya
Ilko aan hoggoodii ka lumin, kalana hoosaynin
Sankaagaa hannaankiyo qorshaha, hadiyed loo siiyey
Dhabannada hareeraha wejiga, halalac nuuraaya

Suniyaha haabkoodan wacan, hadal dhammayn waaye
Luquntii habkii geri lahaa, halal wax dhaafsiisay
Timo hoos garbaha uga degoo, sinaha haab-haabtay
Heegga iyo laafyaha gamcahan, hibada loo siiyey
Dhexdan aan hareeraha u fidin horena, soo taagmin
Hannaan quruxsan waataa luguu, ka haqab beeleen

3- Boodhari waxa uu halkan -beydadk 24-28- ku ammaanayaa dun-wanaagga iyo gobannimada shakhsiyeed ee uu Allaah hibada u siiyey gabadhan. Sida qalbigeeda iyo caqligeedu kuu deeqayo iyo weliba hadalkeedu. *"Hadaaqaba ma dhaameen hadddaan hadalku toosnayne. Hayeeshee warkaad hurin taqaan, Haa adoon odhane"*, ayuu leeyahay.

4- Maadaama oo uu hore u soo sheegay quruxdeeda iyo qaayaheeda layaabka leh, waxa uu halkan - meerisyada 29-42- ugu soo gudbinayaa sida uu u doonayo in uu calfado quruxdaas iyo qaayahaas. *"Adigay Hibaaqeey naftani heegan kuu tahaye"* ayuu ku wargelinayaa. Waxa uu u xaqiijinayaa marka uu iyada niyadda ku hayo ama uu baadi goobayo in aanay dhaxan iyo dhib kale toona diirinin. Uma baahni in aan dadka weydiiyo

meesha aad joogto ee aniga ayaa ku soo helaya. Wuxu u sheegayaa in uu danihiisiiba ka habsaamay oo uu halmaamay markii uu iyada haabka geliyey.

5- Qaybtan (beydadka 43-53) waxa uu cilmi-boodhari kaga faalloonayaa haddiiba ay dhacdo ta ugu xun oo ah in ay is calfan waayaan, in aanu u quudheen nin liita. Hadii talada uu hayn lahaa muu siiyeen nin qaab daran iyo qorqode toona. Nin jilicsan iyo mid aan sharafteeda garanna ma horgeeyeen, ayuu leeyahay.

Haddii aynu kala haayirnoo, laysu hiran waayo
Oo anad Hibaaqeey nasiib, adiga ii haynin
Nacas hayle-foosh iyo qorqode, garan hagaaggaaga
Midaan ku hidda-raacayn asaan, haybed kugu beerin
Urdun xume hanfiifsada kolkay, hawli soconayso
Haddii talada aan hayn lahaa, kuma horgeeyeene

6- Cilmi-boodhari hadalka ayuu hadda ku soo dhawaaday (beydadka 54-65). Waxa uu sheegay in uu bahal jacayl ahi ku hamaansaday, oo haleelay, kana yeelay sidii awr hayiin ah oo kale. Wuxu igu hoggaaminayaa meel kasta, mana dareemayo dhaawacyada i gaadhaya. Laakiin nabarrada gaadhay, waxa uu u arkaa in uu kaga

bogsoon karo haddii uu iyada helo oo calfado.
*"Nabarrada bog hoosiyo wadnaha holac ka
oogaaya. Haddii aan ku helibay bogsoon haarta
qoomaniye"* ayuu ku adkaynayaa.

7- Halkan (beydadka 66-77) waxa uu Cilmi-
boodhari u xaqiijinayaa gabadha, waxa uu ammaan
iyo cabasho iyo codsi is daba dhigay in aanay ka
ahayn af gobaadsi ee ay tahay xaqiiqo. Wuxu ku
soo gebagebaynayaa: Caaqasha Hareertaada qabo
hubiyey kaygiiye.

3.2 EREY-FURKA GABAYGA

Hogol: daruur hoortay
Milic: kulaylka qorraxda
Lebi: geed ka baxa dhulka Soomaalida oo laga
sameeyo koorta, mooyaha iwm. Wuxu leeyahay mani
yo ubax aad u qurxoon
Cimilo: Xaaladda hawada ee meeli leedahay ama ku
sugantahay markaa
Hiloobid: u xiisood, u buseelid
Haab: qalbiga, dareenka laabta
Hooto: murjin, waran yar
Hiif: diidmo, dhibsasho
Halacsi: sheedda ka arag
Haqab: gaajo

Hadaaq: dhawaaqyada carruurta aan weli hadalka baran

Hanfi: kulayl, dabayl ama hawo kulul

Hufnaan: wax aan turxaan iyo xumaan lahayn

Habataqluud: socod daalaadhac ah

Haamaday: dabayl kulayl daran wadata oo wixii ay ku dhacdo qallajisa

Haatuf: wax hadalkooda la maqlo oo aan la arag

Hed: wed, geeri

Abid: weligii

Hanaqa: wadnaha

Hannaan: qaab

Hiirta: salaadda hore

Haayir: haajirid

Hayle-foosh

Qorqode: Ninka dumarka ku qabsada ama kula xisaabtamada arrimaha cunto-kariska iyo masruufka

Hadaltiro: Hadal badni

Heenso: qalabaynta faraska

Hadaaf: socod degenaansho leh

Hayiin: awrka la rarto ee aadka u laylyamay, arka aadka u gaadiiday

Hogob: meel godan, meel kala dheer, meel daadeg ah

Hadimo: luggooyo, dibindaabyo, halis

Halow: kulayl, olol, dab

Halbawle: xididka wadnaha dhiigga ka qaada ee jidhka intiisa kale gaadhsiiya

Haar: nabar, buur yar

Hadoodil: shareer, hoogoogid

Hilow: xiise,

Hoorsi: gacmo u dhigasho wax wa da'aya
Habrasho: cabsasho, ku dhiirran waa

4. HEESKA CAASHAQA

1. Waxan huguguf leeyaba dhakhsaan, ku hor imaadaaye
2. Sida halo karreebaan saqdhexe, soo horranayaaye
3. Sida ubadku hooyada u tabo, kuu hafeeftamaye
4. Haddii aanan ku helahayn yartaay, kuma haleeleene
5. Habeenkii yimaaddaba lix jeer, kuma horjoogeene
6. Hal abuurka kuumaan tirsheen, heeska caashaqa,e

7. Bal hor joogsi daayoo anaan, haynin araggaaga
8. Hareertayda ood joogtid baan, ku hammi qaataaye
9. Markaasaan hummaagiyo cidlada, ku hambalyeystaaye
10. Hilinkaynu mari doono iyo, hoy ku taamaaye
11. Hagaaggeenna iyo khayr ayaan, ku hindisoodaaye

12. Markaan keligey haasaawayee, aan isla-hadlaayo
13. Ayagoon wax hubin oon ogeyn, waxa i heeteeyey
14. Dadku waxay u haystaan inaan, dhigay hugaygiiye
15. Hadaaqa ay wax sheeg-sheegayaan, uma habboonayne
16. Haabkooda may gelin cishqiga, hawsha daba taalle
17. Inta uu hadhuuudh-laha ku daray, ama hed soo gooyey
18. Hal-hal tirada waan lagu heleyn, tan iyo Haabiile
19. Anigana hadduu igu shakalay, hadimadiisiiye
20. Waa waxan hadhuub ugu sitaa, hoorka caashaqa e
21. Waa waxan dhul heegadu martiyo, Hodan u geeyaaye
22. Waa waxan haboow uga jiraa, horukac mooyaane
23. Waa waxan hir-doogliyo caleen, ugu horseedaaye

4.1   FAALLAYNTA GABAYGA

Gabaygan waxad mooddaa in wax ka maqanyihiin oo bar-bilawgiisu maqanyahay. Habase ahaatee wuxu Cilmi kula hadlayaa gabadhii uu jeclaa. Sida ay mar walba u horjoogto, ha soo jeedo ama ha hurdee, Sida uu ugu hammiyo hanashadeeda, sida uu uga faalloodo oo uu u falanqeeyo si iskii ah, marka uu hantiyo sida uu ula dhaqmi doono, waxaas oo dhan ayuu gabaygu faahfaahinayaa. Waa farshaxan aad u xeeldheer. Baydka 4aad ee ah: *"Haddii aanan ku lahayn yartaay, kuma haleeleene"* waxad mooddaa in uu macno ahaan ama miisaan ahaan jabanyahay oo aanu ahayn sidii abwaanku u tiriyey. Cid ii saxdana ma helin.

4. EREY-FURKA GABAYGA

Huguduflayn: socod xoogle oo sida dabaysha oo kale sanqadhle

Karreeb: Geela dhalay ee markaa ilmaha laga reebay

Horrasho: u soo baxbaxshadada Xoolaha irmaan ay u soo baxsadaan ama u soo cararaan ilmahooda

Haasaawe: wada sheekaysi darandoorri ah.

Heeteeyey: Weeteeyey, hareereeeyey

Dhigay hugaygii: Waashay, waalasho

Hadhuudhlaha ku daray: ka adkaaday

5. QARIYA LAABTIINA (QARAAMI)

1. Hadday ili wax qabanayso oo, lagu qaboobaayo
2. Oo qurux la daawado mar uun, aadmi ku qancaayo
3. Aniguba Qadraan soo arkiyo, qaararkii Hodane
4. Wax badan baan qummaati u hubsaday, qalanjo naagoode
5. Ha yeeshee qaraam baygu galay, qalay naftaydiiye
6. Idinkuna halkii qoommanayd, baa i qabateene
7. Qalbigaan bogsiinaayey baa, qac iga siiseene
8. Bal qiyaasa waataan qandhaday, Qamarey awgiine
9. Qarqarrada jidhkaygiyo gacmuhu, way qadh-qadhayaane
10. Qosolkaa yaryari waa waxaad, nagu qaldaysaane
11. Qalbiguu wax iga yeelayaa, naaska qaawaniye
12. Inaan eebbahay idin qatalin, qariya laabtiina

5.1   FAALLAYNTA GABAYGA

Gabaygan oo sida la ogyahay wuxu ku soo baxay munaasabad ay hablo isa soo dhisay isugu soo bandhigeen Cilm. wuxu inoo caddaynayaa in jacaylka Cilmi aanu ahayn haween oo dhan ee uu mid gaar ah caashaqsanaa. Dadka qaarkood waxay ka reebaa beyd aan anigu ku daray oo aha:

"Qalbiguu wax iga yeelayaa, naaskan qaawaniye"

Beydkan dadka ku dara qabaygan waxay ka horraysiiyaan beydka ugu dambeeya ee ah:

"In aan Eebbahay idin qatalin, Qariya laabtiina". Waxa loo badanyahay in beydku halakaas ku saxsanyahay.

Sidoo kale beydka labaad ee aan u qoray sidan: "",Oo
qurux la daawado mar uun, aadmi ku qancaayo waaxay
dadka qaarkood ku beddelaan shaqal dheeraha "oo"
ereyga "ama", ayaga oo u dhigaya sidan: "Ama qurux la
daawado mar uun, aadmi ku qancaayo"

Dhinaca kale gabaygan waxa ku jiray ereyga "Qaraam"
oo ah erey Afcarabi ah macnihiisuna yahay jacayl daran
oo ay adagtay in laga go'o. Ama waa shay lala tacalluqo
oo ay adagtahay in laga takhalluso. Fankii Soomaaliyeed
ee bilawday geeridii Cilmi Boodhari dabadii waxa loo
bixiyey "Qaraami" ayadoo loola jeedo inuu yahay wax
jacayl ku saabsan. Qorayaashii wax ka qoray jacaylka
Cilmi boodhari, waxay qaarkood gabaygan ku
magacaabeen "Qaraami"[10].

5. EREY-FURKA GABAYGA
Qaarar: Waa wadarta ereyga "Qaar" oo ah jirka bina
aadanka labadiisa qaybood mid ahaan. "Qaarka sare iyo
qaarka hoose"
Qalanjo Naagood: Naag aad u qurux badan
Qaraam: Jacayl aad u daran
Qandho: xummad ay qadhqadhyo weheliyo. Xummad iyo
dhaxan isla socda
Qarqarro: waa wadarta ereyga "qarqar" oo ah meesha u
dhaxaysa garabka korkiisa iyo luqunta, Degta
Qadhqadh: Dhaxan la gariirid

---

[10] Margareta Laurence

Qatal: Dilid/doorin, waa erey afcarabi ah oo macnihiisu yahay dil ama doorin. Markaa halkayn waxay noqonaysaa si aan Alle idiin doorin, iga qariya laabtiina.

6. SAHWI

1. Marka horeba anigaa sahwiyey, Ina-Ádeeroowe
2. Oodduba xigtay leedihiyo, ubaxa geeduuye
3. Abtiyaalladay bay ekaa, inan addeecaaye
4. Ammaantii Ugaadh Cumar lahaa, Ereg maxaa geeyey
5. Qaar hooyaday u eeddatoo, aada baa jira'e
6. Allahayoow afkaygiyo sideen, Aadmiga u eeday

7. Amadariyo Oodweyne way, omos badnaayeene
8. Aagaamo haddii loogu shubo, ma engegnaadeene
9. Abaaraa ku doogoobi laa, erayadaydiiye
10. Allahayow afkaygiyo sideen, Aadmiga u eeday

11. Iftiinka uuma soo baxo ninkii, iilka jiifsadaye
12. Wixii kaa adkaadaaba waa, aakhiroo kale'e
13. Waa laygu eemaray cishqiga, inan ku ooyaaye
14. Allahayow afkaygiyo sideen, aadmiga u eeday

15. Ahabtaba ma galo ruux hadduu, aamin-goys yahaye
16. Axdigaad ka booddaa jannada, oodda kaa roga`e
17. Adigiyo ashahaadaduna ways, ku Alla seegtaane
18. Haw oonsan aakhiro waxaad, urursataa yaalle

6.1 FAALLAYNTA GABAYGA

Gabaygan Cilmi Boodhari wuxu kaga qoommamoonayaa arrimo badan oo ay ka mid tahay in afkiisa uu dhibaato isugu soo jiiday. In uu eeday afkiisa iyo dadka bina

aadanka warkooda, oo aanay waxba u tarin. Waxa kale oo uu ka qoomammoonayaa in uu ka guursan waayey ilma abtiyadii oo ah guurkii loogu jeclaan jiray. Balse wuxu xusayaa in wax ka xoog badani haystaan oo ah jacayl ama cishqi dab ku shidaya.

Laakiin ta ugu yaabka badan leh gabaygan waxa weeye, in uu eedaynayo Hodan oo kaga cabanayo in ay ballan-furyo ku samaysay. Tani waxay xoojinaysaa wararka sheegaya in Cilmi iyo Hodan wax isla meeldhigeen. Balse xeerarkii dhaqanku ka xoogroonaadeen oo Hodan la muquuniyey. Balse Cilmi wuxu jeclaan lahaa in ay isaga dartii xeer-jabin u samayso oo ay isaga doorato, taas oo aan dhicin ee ay dooratay wixii reerkoodu rabeen amaba ay ku qasbanaatay.

Ahabtaba ma galo ruux hadduu, aamin-goys yahaye
Axdigaad ka booddaa jannada, oodda kaa roga`e
Adigiyo ashahaadaduna ways, ku Alla seegtaane
Haw oonsan aakhiro waxaad, urursataa yaalle

6. EREY-FURKA GABAYGA

Sahwi: Illawshiinyo, halmaan
Ugaadh Cumar: Waa magac qolo ku abtirsata Habaryoonis. Abtiriisnta oo dhan waxay tahay; Ugaadh Cumar Cabdalle ISmaaciil Carre Siciid Garxajis sheekh Isaxaaq. Sida gabayga ka muuqata waa Cilmi reer abtigii

Ereg: waa meel magaceed. Waa meel ku taal gobolka Sanaag oo ay degi jireen qabiilka ay ka dhalatay Hodan

Amadariyo Oodweyne: Magacyo laba meeloo oo ku yaal inta u dhaxaysa Burco iyo Hargeysa

Omos: dhul ingagan oo siigo miidhan ah

Aagaamo: Waa wadarta aagaan oo ah dhiisha lagu shubto caanaha ama biyaha

Eemaray: la igu salliday, la i sudhay, la igu ibtileeyey

Ahabta: Ahab waa ere afcarabi ah oo la qalloociyey dhawaaqiisa. Ereyga asalkiisu waa Mad-hab oo ah daqiiqo saxsan, sida mahdabta shaaficiya ama diinta islaamka. Gabayo kale oo isla ereygan lagu isticmaalay waxa ka mid ah kii Xaaja Cali Geelle markii uu u jawaabayey Camanje:

> Waataan Ugaadeen noqdaa, **ahabta** diidaaye
> Waataan in Gooniyo habaas, kala afuufaaye
> Waataan Awaaraha Badhyaha, dibugu aastaaye.

Oonsan:

7. QALBIGU LABA JECLAAN WAAA

1. Luqma-liigle awrkuba kolkuu, laacdan baranaayo
2. Isagaa u laakima badnaa, laqanka xoolaaye
3. Hadba qaalmo laacdana wuxuu, luqun-jibaadhaaba
4. Lix intaanu jirin hadduu, laacib ku ahaado
5. Lama loodin karo jeeroy, liicdo bawdaduye
6. Anna laabta kama gooynin weli, caashaqii ladane
7. Luxudkaan la gelayaa sidaa, igaga liil dheere
8. Midnaay hays ku kay lurin qalbigu, laba jeclaan waaye

7.1 FAALLAYNTA GABAYGA

Gabaygan wuxu Cilmi kula hadlayaa dad, haweenba ha u badnaadaane isku dayey in ay ku qanciyaan in uu gabadh kale guursado oo ka samro Hodan. Arrintaas Cilmi wuxu tusaaleeyey sida aanay u sahlanayn. Horta dadka doonaya inay jacaylkiisa ka guulaystaan oo Hodan nacsiiyaan wuxu isugu metaalay sida hawr aad u tababartay oo xooggan ay u adagtay in la legdo, sidaas oo kale ayeyna suurtogal u ahayn in isaga lagaga adkaado jacaylka uu qabo oo laabtiisa laga tiro. Wuxu ugu quusgooyey cid kasta oo rajo ka qabtay in uu la dhiman doono jacaylka Hodan. Dhinaca kalena wuxu ugu baaqay hablaha kale inay fara ka qaadaan maxaa yeelay laabi laba u la´. *"Midnaay hays ku kay lurin qalbigu, laba jeclaan waaye."*

Beydka ugu horreeya gabaygan si qaldan ayey u qoreen dadkii hore u qoray qaarkood. Halkii ay ahaan lahayd : *"Luqma-liigle awrkuba markuu laacdan baranaaayo"* ayey ka dhigeen: "Luqun-madoobe awrkuba... Laakiin waxa sax ah in la yidhaahdo "Luqma-liigle" oo ah geela aaranka ah ee cayillan. Geela ayaa la yidhaahdaa "Luqma-liigle" oo qoortiisa iyo ta liigga ayaa isu eeg. Liigguna waa labka garanuugta. Taas waxa u daliil ah gabay hore oo uu tiriyey Maxamed Cali-beenaley ninkii la odhan jiray. Waxa la yidhi; walaalkii oo hore u qadiyey oo geel u diiday ayey baahi u keentay oo geel uu soo dhacay ka soo martiyey. Markaas ayuu ugu jawaabay gabaygan:

"Luqmaliiglahaan helay hadday, laqanyo kaa hayso
Anigaba markaan liicsanaa, iima loodsamine
Goblan lexejeclooy waa wixii, lumiyey Ayjeexe"
Ina cali Beenaley

7.2 EREY-FURKA GABAYGA

Luqumo-liigle: Geel

Laacdan: Ciyaar geela da'da yar ay sameeyaan, iyaga oo isku tababaranaya

Laakimo: Kibir, adyad, fal qaldan

Laqanka: Neef xoolo ah oo da'diisa ka weynaada ama qof yar oo laayaan ah.

Luqun-jibbaadh: buquujin, qoorta oo xagga kale laga rogo

Laacib: xariif, ciyaaryahan

Loodin: Wax xoogle soo liicin, soo laabid, ka xoog badasho

Luxud: iil, qabriga intiisa leexan ee meydka la geliyo

Liil: Aayatiin, waxtar dambe oo loo aayo

Lur: dhibaato,

8. SOO SOCO SIDCIYO QAALIYEEY

1. Ma samaynin waayahan tixdii, saaniga ahayde
2. Waataan ka saahiday tan iyo, sebenkii dayreede
3. Xaluun baa saqdii dhexe hurdada, wax i salaameene
4. Aan sifeeyo inantii tiriig, saxan la moodaayay

5. Ilkaa sadaf la moodiyo wejiga, lagu sureeraayo
6. Timahaa basari baan subkine, saaran garabkeeda
7. Sanka iyo indhaha iyo afkaa, sida sabiibeed ah
8. Sunniyaal madoobey qalbigu, saakin kaa noqoye
9. Soomaali iyo Carab iyo Hindiga, Sooyo laga keenay
10. Inta samada hoos joogta waad, ugu sarraysaaye
11. Soo soco Sidciyo qaaliyey, saanad baad tahaye

8.1 FAALLAYNTA GABAYGA

Gabaygan sida ka muuqata wuxu Cilmi ku sifaynayaa
Hodan iyo jacaylka uu u qabo. Wuxu ku
nuuxnuuxsanayaa sida aanay cidna ula sinnayn isaga.
Xiitaa gabdhaha quruumaha kale way kala sarraysaa.
"Soomaali iyo Carab iyo Hindiga, Sooyo laga keenay
Inta samada hoos joogta waad, ugu sarraysaaye
Soo soco Sidciyo qaaliyey, saanad baad tahaye".

8.2 EREY-FURKA GABAYGA
Saani: Toos

Saahid: Wax iskaga tegid. Waa erey afcarabi ka soo jeeda.

Seben: wakhti, xilli

Dayr: Afarta xilli ee sannadka midkood. Xagaa, Dayr, Jilaal iyo gu´ ayuu sannadku u qaybsamaa. Dayr iyo Gu´waa xilli roobaad. Jiilaal iyo xagaana waa xilli abaareed.

Tiriig: Faynuus weyn oo meheradaha looga dhigi jiray siraad wax lagu arko.

Sadaf: Macdan, Luul

Basari: Naag nadaafad xun

Subkid: Subag marin

Saakin: Xasil, deggenaan. Waa ere afcarabi ah

Sooyo: Waa meel magaceed

Saanad: Qalab qiimo leh

9. HOHE MAXAY SEEXSHAY

1. Hadhka galay hurdadu way xuntee, hohe maxay seexshey
2. Muusow hungoobaye maxaa, Hodan i weydaarshey
3. Bal in aan habaar qabo maxaa, Hodan I waydaarshay
4. Hoygii ay joogtiyo maxaa, hilinka ii diidey

9.1 FAALLAYNTA GABAYGA

Gabaygan sida la sheegay wuxu ku soo baxay mar uu Cilmi seegay kulan qorshaysnaa oo uu Hodan la yeelan lahaa. Warka loo badanyahay wuxu sheegayaa: *"in gabadh Caasha la odhan jiray ay soo kaxaysay Hodan si ay Cilmi ula kulansiiso. Hodan ayada oo aan qorshaha waxba ka ogeyn ayey soo raacday. Laakiin Cilmi oo qorshaha ogaa ayey hurdo la tagtay oo ka soo gaadhi waayey ilaa ay Hodan iska tagtay. Markaa ayuu gabaygan tiriyey."* Qiso kale waxay sheegaysaa in gabaygani beri dambe ahaa oo Hodan ay la joogtay ninkii guursaday ee Maxamed Shabeelle. Qisadani waxay sheegaysaa in markii Cilmi uu xanuunku ku batay ay Hodan ninkeeda ka codsatay inay soo booqato. Wuu u oggolaaday. Nasiib-darro markii ay u timid wuu gama´sanaa Cilmi. Markii ay cabbaar la joogtay ayey iska tagtay. Dabadeed Cilmi ayaa markii uu soo toosay loo sheegay. Markaas ayuu gabaygan tiriyey. Qisadan dambe ma aha ta loo badanyahay. Waxa loo badanyahay qisada hore.

9.2 EREY-FURKA GABAYADA

Hungoʹ: In wixii aad raadinaysay aad ka waydo meeshii aad ka filaysay. Ku lugguʹid meel aan waxba oollin

10. DAYAX IIGA MUUQDHEER

1. Nimanyahaw dabuub gabay beryahan, kuma dannuukhayne
2. Kolba aniga oo daayey baad, igu diraysaane
3. Idin diidi maayee waxaan, dood u celin waayey
4. Mid duusho yarbaa Eebbahay, iigu daw galayey
5. Aqal daahyo weyn derged iyo, daar middaan galaba
6. Dallaalimo habeenkii haddaan, meel duddo ah seexdo
7. Dayax iiga muuqdheer midduu, duunku caashaqaye
8. Iga daaya hadalkeedu wuu, iiga darayaaye

10.1 FAALLAYNTA GABAYGA

Gabaygani wuxu la mid yahay gabayadii aan hore u soo marnay. Cilmi wuxu sheegayaa sida uu soo hadalqaadka Hodan uugu sii hurinayo jacayl.

10.2 EREY-FURKA GABAYGA

Dabuub: Ujeedada ama nuxurka hadalka ama gabayga, Dulucda

Dannuukhayn: luuqayn

Derged: Dhisme ka samaysan tiirar iyo qoryo korka ciid laga saaray

Dallaaallimo: Meel kor ka deden oo hareeraha ka furan

Duddo: debed

Duunka: Nafta

11. HILLAAC BAA BERBERA IIGA BAXAY

1. Inaadeer hagaagtaye haddaad, hilinka sii qaaddo
2. Hataq iyo Ilaah kuguma rido, hogobihii Sheekhe
3. Mid hubsiimo badan baad tahoo, halo la siiyaaye
4. Adigaan halyeey kuu gartiyo, hurintii Daa'uude
5. Hillaac baa Berbera iiga baxay, Hodan agteediiye
6. Hurdadana habeenkii ma ledo, had iyo waagiiye
7. Sidii hoorrimaad baa qalbigu, ii hanqanayaaye
8. Waa lay horjoogaa sidii, horudhacii geele
9. Inaan haybiskeed dhigay hadday, Hodan i moodeyso
10. Gabadh kale oon haasaawiyaa, weyga haniyaade
11. Haddaan hadiyad caano ugu diro, hoohidaa gubiye
12. Maxaan kula hagaagaa yartii, way hanweyn tahaye

11.1 FAALLAYNTA GABAYGA

Gabaygani waa ka lagu magacaabo "Farriintii Burco".
Cilmi markii loo diray Burco -bal si uu u soo illoobo
Hodan, una soo nasto- ayuu halkaa kula kulmay nin ay
tol ahaayeen oo u sii safrayey Berbera. Markaa farriin
ayuu ugu dhiibay Hodan. Farriintaas oo ah in jacaylkii uu
u qabay halkiisii yahay amaba ka sii daray. Wuxu ugu
dhaartay in aanu gabadh kale la haasaawi doonin oo
taasi ay ka tahay sidii cad xaaraan ah oo kale. Sidoo
kale wuxu sheegay in uu la jeclaan lahaa hadiyad laakiin
aanu garanahayn wax uu u quudho. Caano ayuun buu u
quudhi lahaa laakiin caanahaasna wuxu uga baqay in ay

dhexda ku sii xumaadaan oo hanfigu leefo. Sidan ayuu xaaladdiisa u sawiray:
"Hillaac baa Berbera iiga baxay, Hodan agteediiye
Hurdadana habeenkii ma ledo, had iyo waagiiye
Sida hoorrimaad baa qalbigu, ii hanqanayaaye"

11.2 EREY-FURKA GABAYGA

Hilin: Waddo toosan oo dabiici ah, dariiq

Hantaq: Meel dhulka kale ka hoosaysa oo yara godan, Hataq, booraan, bohol

Hogob: god-god, meel godan oo dhir leh,

Hanqanayaa:

Haniyaad: Sida Haniyaha. Haniye waa qayb wadnaha ka mid ah. Cad xaaraan ah.

Hoohi: Haw aad u kulul, hanfi

12. SIDII GEEL HARRAADAY

1- Sidii geel harraadoo wax badan, hawdka miranaayey

2- Oo haro la soo joojiyoo, kureygu heegaayo

3- Oo hoobeyda loo qaaday iyo, hadal Walwaaleedka

4- Kolkaad Hodan tidhaahdaanba waan, soo hinqanayaaye

5- Hadday hawl yaraan idin la tahay, aniga way hooge

6- Ayadoon xabaal lagu ham siin, waanan ka hadhayne

7- Hammada beena mar ayaan is idhi, waad la huruddaaye

8- Jin uun bay hadoodilay mid ay, habar wadaageene

9- Hareertayda oo madhan is idhi, haabo gacanteeda

10- Goortaan hubsaday meel cidla ah, inan ku hawshooday

11- Hogaansigeedii dambaan, soo hambaabiraye

12- U haylhaylay gogoshii sidii, halablihii Aare

13- Siday iga halleeyeen maryii, hiifay oo tumaye

14- Haab-haabtay labadii go'oo, shaadhkii maan heline

15- U hammiyey sidii wiil la dhacay, kadin ay haysteene

16- U handaday sidii geel biyaha, hoobay loo yidhiye

17- U hagoogtay sidii geesi ay, niman ka hiisheene

18- U hiqleeyey sida naag la yidhi, huray dalaaqdiiye

19- Waxanad haynin ood haybsataa, habarti weeyaane

20- Hoheey iyo Hoheey maxaa, hadimo lay geystey

12.1 FAALLAYNTA GABAYGA

Gabaygani waa kii labaad ee uu Cilmi ka soo diro Burco. Isaga oo weli halkaas jooga ayey dhacday guuldarradii weynayd. Waxa loo soo sheegay in Hodan loo soo fadhiistay oo la bixiyey. Laba haben ayey oomato afkiisa ka degi weyday. Hordu mooyaane wax kale waa laga waayey. Markaas ayuu gabaygan soo daayey. Waa gabay cajiib ah oo ay ka buuxaan hummaagyo kala duwan oo laga dhex arkayo xaaladdii uu dareemayey. Beydka 3 aad ee ah: *"Oo hoobeyda loo qaaday iyo, hadal Walwaaleedka"*, waxay dadka qaar u sheegaan sidan: *""Oo hoobeyda loo qaaday iyo, hees Walwaaleedka"*. Dabcan waa macne macquul ah maxaa yeelay ma jiro wax la yidhaahdo "hadal Walwaaleed" balse waxa la fahmi karaa "Hees walwaaleed". Walwaal waxay ahaan jirtay ceel-dheer geelasha Soomaalidu meelo fogfog uga soo aroori jireen, geelana waxa lagu waraabiyaa hees hawleed. *"Hadday ceel Walwaaleed, ku go'aan wadaamuhu, waan-waani dhacantaye, wadnahaan far ku hayaa"*

Beydka 7aad ee u qoran sidan :*"Hammada beena mar ayaan is idhi, waad la huruddaaye"*, waxa loo sheegaa siyaabo kala duwan. Waxa ka mid ah:

- Hammada beena baan idhi malaa, waad la huruddaaye iyo
- (Hawada beenaba marbaan is idhi waad la huruddaaye)

12.2 EREY-FURKA GABAYGA

Hawd: Dhul jiq ah oo dhirtu ku badantahay ama afarta jiho midkood oo ah koonfur

Kurey: Wiil yar oo dhawr iyo toban jir ah

Haro: meel biyuhu fadhiistaan oo Alle-samee ah

Hoobey: dhawaaqa lagu bilo heesaha kala duwan, sida hees-hawleedda, hees-ciyaareedda iyo hees-koolkoolineedda

Walwaal: Ceel caan ah oo ku yaal haro-ciideed.

Hinqasho: in fadhiga laga soo hinqado. In la hollado kicitaan

Hadoodil: Dednaan, shareer

Haabo: gacanta la tiigsasho

Hoogaansi: madaxa iyo gacanta soo laadlaadin

Hambaabir: Hurdo ka soo boodid

Kadin: Geel tiro badan oo xero keli ah wada gala, boqol halaad

13. MID KALAA LA TEGAY GEENYADII

1. Nimanyahow gabay waa murti iyo, maaran kala waaye
2. Rag uun baa maroor wax u tusee, kaygu waa malabe
3. Sida Sheekh muftiya oo cilmiga, meel ka marinaaya
4. Waw muhanayaa maansadaad, mari i leediine
5. Anigaan makhaayadaha iyo, geyn maqdaradaaye
6. Haddaan madar ka sheegaayo oon, wallo ku maansoodo
7. Martuba way ka dhici layd hablaha, muxubbo awgeede
8. Murugada calooshayda iyo, muhanka laabtayda
9. Miyi waxan la tegi waayey iyo, madaxdii Daa'uudka
10. Meeraysigeedii waxaan, ula madoobaaday
11. Nin mataanihiisii gacmaha, meel dhigtaan ahaye
12. Mid kalaa la tegay geenyadii, maanku ku xidhnaaye
13. Dadkiibaa masooboo ninkii, magac lahaa eedye
14. Muruq kuma kaxaysane rag buu, magansanaayaaye
15. Haddii aanan mahiigiyo ka biqin, murabidkaa gaalka
16. Amase aan mashnaqo lay sudhayn, maalin ma hayeene
17. Alla magane sow dowladani, meesha kama dhoofto

18. Afartaa intaan miin ka dayey marin ma qaadsiiyey
19. Midda kalena waa maansaday, muhatay laabtaydu

20. Mariil baa qardhaas loo qoraa, meelo la qabtaaye
21. Miridh baa la gooyaa cishqaan, cidina maarayne
22. Inantaan naftayda u makalay, way i moog tahaye
23. Mid kalaaba loo meheriyoy, meel u gogoshaaye
24. Micna gaabanow dumar inaan, malo la waydiinin
25. Waa waxa martiyo loogu xidhay, marada shaydaane
26. Muxubbiyo makaawaba yartii, magac waxaan siiyey

27.Maydhkii khasaaraysay iyo, maaddi gabayeede
28.Waa ii muraad li´l waxaan, uga muraaqoone
29.Mitaalkeeda waan heli lahaa, Maydh haddaan tago,e
30.Mudanihii Cismaan iyo bal aan, Maakhir haybsado, e

13.1 FAALLAYNTA GABAYGA

Gabaygan wuxu Cilmi tiriyey markii uu ku soo laabtay Berbera ee uu ka yimid Burco. Wuxu Burco ku soo noqday ayada oo Hodan la bixiyey oo la siiyey ninkii soo doonay ee Maxamed Shabeelle. Markaa gabaygan isugu jira cabashada, hanjabaadda iyo calaacalka ayuu mariyey. Cilmi wuxu ka cabanayaa Hodan oo isagoo si walba u tusaaleeyey jacaylka uu u qabo, ay nin kale iska yeeshay. Arrintaasi waxay ku dhalisay su´aalo falsafadeed oo ku aaddan dumarka iyo dareenkooda. Dhinaca kale wuu hanjabayaa laakiin wuxu ka calaacalayaal laba arrimood oo uu ka baqayo inay ka daba yimaaddaan. Mid ahaani waa dawladdii gumaystaha ingiriiska oo qofkii nadaamkeeda khilaafa deldeli jirtay. Midna waa cid uu sheegayo inay magangelyo siinayeen ninkan gabadha ka qaaday.

13.2 EREY-FURKA GABAYGA

Muhan: kaljeclaysi, jacayl laab la kac ah
Maqdarad: waa madal asxaabtu ku kulmo oo kaalmo loogu ururiyo kolba qofkii muraadle. Wuxu ahaa dhaqan ka jiray magaalada Berbera waagaas. Waatii uu lahaa

abwaan dhaliilsanaa dhaqankaas: *"Lacagtaan maqdarad geynayee, magac ku doonaayo. Alla magane maan hooyaday, maro u soo siiyo"*

Madar: Madal
Mahiig: xadhigga wax lagu deldelo
Murabid:
Mashnaqo: Deldelaad, waa erey afcarabi ah
Makalay: Sababay geeridisiisa,
Makaawo: Sharaf
Maydh: Meel magaceed. Magaalo-xeebeed ku taal gobolka sanaag oo uu ku aasanyahay awoowga fog ee kulmiya Cilmi iyo Hodan.

14. MURAN MA LEH DUCAALOW

1. Maryama Xaashi iyo tuu Gahayr, Madar ka sheegaayo
2. Iyo marantiduu Cige Baraar, meel fog kaga boodey
3. Muran ma leh Ducaalow inay, muunad dheer tahaye
4. Maankaba ka jaray naago kale, muhindiskoodiiye
5. Haddii qaaddi ii meheriyoo, midigta lay saaro
6. Ka mabsuuday oo dunidu way, maalintaa qudha, e

14.1 FAALLAYNTA GABAYGA

Gabaygan yar ee intan laga hayo wuxu Cilmi ugu jawaabayey rag suugaanyahan ah oo gabayo jacayl ah curiyey isla wakhtigaas uu Cilmi jacaylku dhabannaaninayey. Wakhtigaas uu Cilmi noolaa wuxu ahaa wakhti isbeddel weyn oo xagga dhaqanka ahi jiray. Kaba-caddii, Almadar iyo kooxo kale oo bulsho ayaa dalka ka kacay. Haddaba rag badan oo cilmi la xilli ahaa ama ka da'waaweynaa ayaa gabayo is waydaarsaday. Nin waliba wuxu ka sheekaynayey gabadha uu jecelyahay nooca ay tahay iyo jacaylka uu u qabaa heerka uu joogo. Halkan waxa ku xusan laba nin oo kala ah; waa Cabdigahayr iyo Cige-baraar. Ragga kale waxay kala ahaayeen; Muxumed Aw Cabdi Xaashi, Faarax Cali-jaar, Yuusuf Cabdi Jaamac (Ina Baar) iyo rag kale. Cilmi saaxiibadii ayaa u soo jeediyey in uu isna wax ku darsado raggaa abwaannada ah ee jacaylkooda ka faalloonaya. Laakiin Cilmi wuxu u arkayey inay taasi nusqaan ku tahay, waayo? Jacaylkiisu wuu kala xeeldheeraa kooda oo rag ciyaar-ciyaar u gabyaya ayuu u arkayey. Gabadha uu jecelyahayna way kala qiimo weynayd kuwooda. Markaa isaga oo ku hal-qabsanaya saaxiibkii Ducaale oo ahaa ninkii waydiiyey sababta uu ugu biiri waayey suugaanta socota ayuu gabaygan mariyey. Labada nin ee uu sida gaarka ah u xusay gabayadooda waa Cabdigahayr iyo Cige-baraar. Haddaba maxay ahaayeen labadaas nin gabayadii ay suugaantaas ku lahaayeen?

LAGU MOOD (CABDIGAHAYR)

Aynu ku horrayno Cabdigahayr oo uu Cilmi ka yidhi: *"Maryama Xaashi iyo tuu Gahayr, Madar ka sheegaayo"*. Haddaba Cabdigahayr wuxu silsiladdaas ku lahaa gabay taariikhda galay oo xiitaa aroosyada lagu ciyaari jiray wixii markaa dambeeyey. Waxa gabaygaas la yidhaa **"Lagu mood"**, waxanu ku mataalay gabadha uu jecelyahay wax alla wixii berigaa dadku la ashqaraari jireen quruxdooda iyo qaayahooda. Habka uu ugu luuqaynayeyna waxay ahayd luuq sidii hees oo kale ah. Wuxu yidhi:

1. Marka horeba guur waa milgiyo, maaran kale waaye
2. Haddaan lala mushaawirin tolkaa, adiga oo maal leh
3. Oon lagama maarmee tashiga odayo loo miidhin
4. Ninkii kelidii maalootiyaa, meel xun waw halise
5. Raggase qaarkii uma meeldayee, wayska mehershaaye
6. Anna waxaan ka mii`dhaa halkaan, lagu mannaagayne
7. Middaan maagay maantaan hayaa, muunadday tahaye
8. Ma madooba maarriinna waa, inay ka meertaaye
9. Timaheedu waa midab haldhaa, ama magool geede

10. Dhexda madag la moodiyo kubkuu, hilibku maasheeyey
11. Malahayga waa xuural-cayn, oo mudh soo tidhiye
12. Maglaftii gabowdiyo carmali, malaha maamuuse
13. Weli naasku kama soo mudh-bixin, maradii jiidnayde
14. Haddaad macango way kuu duddaa, miridh la haasawdo
15. Murti kuguma deeqdoo waxaad, tidhiba waa mooge
16. Lagu mood musheekhdii xashkee, miimka loo dhigay
17. Lagu mood dhirtii Maacaleesh, midhihi saarraaye
18. Maxamuud Garaad oo fardaha, madal ka jeedlaaya
19. Lagu mood maqaamii sudhnaa, madaxii shaalkiiye
20. Lagu mood mas-ciideed indhaha, meel ka soo ridaye
21. Baddoo murugtay minawaarradoo, macallinkii dhoofshay
22. Hadday mawjaduu sara kacaan, moolka lala yaabay
23. Lagu mood tiriiggii Mayuun, muxubadiisiiye
24. Lagu mood magaalada bumbay, macawisii yiille
25. Hadday carabta qaar waa midgo e, muranto ruuxeedu
26. Darbaa midigta weligood lahaa, maydhaxdii boqore
27. Lagu mood muluukiga hablii, madaxdii reer Suure
28. Lagu mood makaawi u egeey, dahabkii Maarseeye
29. Lagu mood madheedhkii ku yiil, madaxyadii hawde
30. lagu mood madiixoo dhashiyo sidigta, Maandeeqe
31. Sida baarqab May dhalay basari, midabku waa beene
32. Lagu mood fardaha Muuq ku jiro, midabadoodiiye
33. Magaalada Berbera maalintii, madasha loo joogo
34. Lagu mood hillaacii mudhee, muuqday laba jeere
35. Lagu mood muraayad aan lahayn, miridhku waa ceebe
36. Lagu mood Maryama xaashidii, magaca weynayde

37. Maankaa wax laga fiiriyaa, saado lagu moodye
38. In la maro madow iyo caddaan, muumin iyo gaalo
39. Sida geedka maawaradka waa, muunad gooniyahe

40. Anoo maalin caantayno helay, maalinna hungoobay
41. Oo marada daabaqad ku taal, iga madoobeysey
42. Mar haddaanan miis iyo amaah, kugu masruufaynin
43. Mid aad mudane siisyo mid aad, gacal ku muunayso
44. Si kastaba u madhiyoo haddaan, maanka la idoorin
45. Kol haddaanan mood guriga yaal, mee ku odhanaynin
46. Kol haddaan hablii midha yaruu, kula murmayn haatan
47. Adna mahad ku noolow xarrago, lagu mahiibsiiye
48. Anna way **mabsuud** xaal aduun, mowdka ka horoowe

INANTII HUBKUU LOO DHAMMEE (CIGE-BARAAR)

Aynu ku xigsiinno gabayga Cige-baraar ee uu Cilmi leeyahay: *"Iyo marantiduu Cige Baraar, meel fog kaga boodey"*. Cige-baraar wuxu ahaa nin reer magaal ah oo aftahan ah. Kaftan wadaag wuxu la ahaan jiray nimankii la odhan jiray kaba-cadda oo ahaa dadkan xarragada iyo faashiyanka ku nool. Cige nimankaas wuu dhaliili jiray oo suugaan badan ayuu dhaqan-xumadooda ku cambaareeyey. Iyaguna way iska celin jireen oo ilbaxnimo la'aan ayey ku xaqiri jireen. Laakiin bulshadu Cige-baraar ayey la fikir ahayd oo wuu ka badin jiray kaba-cadda. Haddaba waxa la ogaaday in Cige-baraar uu jeclaa gabadh reer hawd ah oo ina-abtidii ahayd. Reer hawdna waxa lagu yaqiinnay in ay hablaha geel ka qaataan Cige-baraarna geel ma lahayn. Markaa arrintaa

kaba-caddii iyo dadkii ay Cige kaftan-wadaagta
lahaayeen ayaa war ka dhigtay. Markaa Cige wuxu
tiriyey gabay mala-awaal ah oo uu yeelahay gabadhii
Hawd iyo dannood ayaan ugu tagay oo waaba lay dhisay.
Kaaga darane waan duulay oo masalleyaal iyo gogol
ayaa la ii dhigay si aan u soo dego. Wuxu yidhi Cige-
baraar:

1. Xaluun baa hillaac iiga baxay, haradi Doolloode
2. Haab-haabtay labadii go'oo, shaadhkii maan helin
3. Ninkii hawd tegaayaa dab buu, ku hindisoodaaye
4. Oo horor dugaag iyo ragbay, mid is helaayaane
5. Anigana hubkay wuxu ahaa, hootadaa qudha,e

6. Nimankii Hargeysiyo fadhiyey, heegadiyo suuqa
7. Hanaqay lasoo wadda kaceen, huguguftaydiiye
8. Kolkaasaan daruur halabsadoon, heegadaw baxaye
9. Kolkaasay Ilaah baa hayee, hoortay samadiiye
10. Kolkaan hugunkii reerahaa maqlaan, hoos u soo degeye
11. Kolkaasay hangool iyo gudmiyo, harag la yaaceene
12. Inanta hooyadeed baa la yidhi, haatan buu yimiye
13. Habkii gobi lahayd iyo salaam, ii hadoodila,e
14. Dermo waayo badan loo hayey, hore u keeneene

15. Wallee gool habeen kii la qalay, hilib naloo keenay
16. Sooryada miyigu waa hanfaqe, hilib la geedeeyey
17. Hanbadii markay iga gureen, ii halaan hala,e
18. Markuu reerki kala hooydey buu, haatuf ii yimide
19. Inantii hubkii loo dhammee, heensihii dumare
20. Hablo badanna waa lagu dhexdaray, ooy la hayb-tahaye
21. Iyagoo maryaa hab u xidhoo, hiririglaynaaya

22.Oo higilka soo muujiyoo, hab u dhaqaaqaaya
23.Heblaay dhaaf iyo heblaay dhaaf, waxay meeshii kahayaanba
24.Hortayday yimaadeen kolkay, nabar is hiifeene
25.Kolkaan jeedal ku hamsiiyey bey, hulal banneeyeene
26.Kolkaasaan yartaydii hantiyey, taan u hawl-galaye

14.2 EREY-FURKA GABAYGA

Maryama Xaashi: Waxay ahayd gabadh qurux iyo qaayo lagu majeertay oo noolayd xilliyadaas jacaylka Cilmi boodhari socday ama in yar ka hor. Rag badan ayaa gabadhaas gabayadooda kaga hadlay. Waa gabadhii uu Cabdigahayr ku mataalay xaaskiisa ee uu lahaa *"Lagu mood Maryana Xaashidii, magaca weynayde"*

Gahayr: Waa Cabdigahayr Warsame Baanji oo ahaa gabyaa ay suugaantiisy tisqaad iyo buruud lahayd

Madar: Madal

Cige-baraar: Cige-baraar wuxu ahaa gabyaa caan ahaa xilliyadaa 1930-meeyadii. Suugaan kaftan iyo xafiiltan ah ayaa ka dhaxaysay isaga iyo qolyihii la odhan jiray kaba-cadda. Gabayo jacayl ahna wuu lahaa.

15. SIDII SAACADDII BAY WADNAHA

1. Kolba aniga oo sahashadoo, saari ka ahaaday
   2. Ayuunbaa siraad midabkileey, lay sawirayaaye
   3. Sidrigay ku daabacan tehee, uma sakhraameene
   4. Sidii saacaddiibay qalbiga, iiga socotaaye
   5. Habeenkii markaan seexdo way, ila safaaddaaye
   6. Salaaddii horay iga tagtaa, siigo noqotaaye

15.1 FAALLAYNTA GABAYGA

Gabaygani wuxu ka mid yahay gabayada laga hayo inta yar ee uu tiriyey Cilmi-boodhari. Si xeeldheer ayuu u cabbirayaa sida ay Hodan ugu walaaqantahay naftiisa. Bal mala-awaal saacad soconaysa oo irbaddu tirinayso ilbidhiqsiyada iyo daqiiqadaha. Dhig···dhig···dhig. Sidaas oo kale ayey Hodanna u dhex socsocotaa oo u garaacaysaa wadna Cilmboodhari. *"Sidii saacaddii bay wadnaha, iiga socotaaye"*

15.2 EREY-FURKA GABAYGA

Saari: Maro dumarka Hindidu xidhaan oo sidii guntiino ah. Laga yaabee in ay macno kale halkan ugu jirto
Siraad: Iftiin, nuur, layd
Sidri: Laabta, haabka, qabliga
Safaad: Ciyaar

7. DUULI HADALKAYGA

1. Dabayl-yahay adaa duulayoon, orodka deynayne
2. Adigaan dakaamayn siduu, Eebbe kuu diraye
3. Adigaa dulmari meel hadday, dogobbo yaallaane
4. Adigaan dariiqii xun iyo, daw ku celinayne
5. Adigaan darbadhahayn naf waa, lala dallumaaye
6. Daayinkaaban kugu dhaariyee, duuli hadalkayga

7. Doonyahaba waw dhiibi laa, duub waraaqo ahe
8. Degdegsiinyo uun baan jecloo, waan ku doorbidaye
9. Daayinkaaban kugu dhaariyee, daabac hadalkayga
10. Ammaanada adow daacadoon, kuu durraansadaye
11. Yartaan damacsanaa baa yidhi, duul kalow baxaye
12. Daaroole weeyaan halkaan, Daawi ku ogaaye
13. Dalyaqaanka Muusaa yaqaan, dawga loo maro`e
14. Meeshii Dalleeniyo adaan, Daah ku celinayne

15. **Dugta** yahay! Nin baa aawadaa, Dibad ku laabnaa dhe
16. Oon oomatada hoos u deyin, adi daraadaa dhe
17. Malahay dabaylo hadlayaa, dunida waw koowe
18. Anuu daayin igu dhaariyoo, dood i soo faray dhe
19. *Damiinnimadu way foolxuntoo, kaa dan gaabsaday dhe*
20. *Dudumooyinkoon la hadlayaa, doog ka bixi laa dhe*
21. *Dirrrida iyo Buuruhuna way, damaqsan laayeen dhe*
22. Sidaada mid aan didib ahayn, kumaba daaleene dhe
23. ------------------Dooran garan wayday,
24. *Haddaad deyn ka duushoo mid kale, duunyo kaa bixiyo*
25. Alle kaama duudsiyo xaquu, Aadmi kaa daho´e

*26.*Illeen hadalka layskuma daree, dawgay waxan mooday
*27.*Inta Dumarka loo guursadiyo, duugga anigaa leh.

16.1 FAALLAYNTA GABAYGA

Gabaygani waa farriintii Saylac. Saylac waa meeshii uu jacaylku ku soo qarqarsiyey Cilmi markii uu doonay in uu iskaga tago dhulka laga yaqaanno. Caashaqii ayaa u diiday in uu halkaas dhaafo. Waanu ku xanuusaday. Markaa farriin ayuu damcay in uu Hodan gaadhsiiyo. Wuxu jeclaystay in dareenkiisu dhakhso u gaadho Hodan. Laakiin muu haynin wax ku gaadhsiin kara dhakhsaha uu rabo.Way jireen doonyo u baxa Berbera, laakiin habeenno ayey sii dhixi jireen. Cilmi ma rabin wax sii dhaxaya. Markaa wuxu malo-awaalay wixii waagaas la joogay ugu dheerayn jiray ee la yaqaannay. Waxay noqotay dabaysha. Markaa wuxu ka fekeray bal haddii ay suurtogal noqon lahayd in dabayshu warqad ka qaaddo, sidii ay u gudbin lahayd. Wuxu la hadlay dabaysha. Wuxu kala dardaarmay Hodan. Sababta uu farriin-qaadka ugu doortayna wuu u caddeeyey.

Dabayl-yahay adaa duulayoon, orodka deynayne
Adigaan dakaamayn siduu, Eebbe kuu diraye
Adigaa dulmari meel hadday, dogobbo yaalliine
Adigaan dariiqii xun iyo, daw ku celinayne
Adigaan darbadhahayn naf waa, lala dallumaaye
Oo aan Daa'in kugu dhaariyee, duuli hadalkayga

Dabcan Cilmi warka wuxu u dhiibay qof caadi ah. Laakiin tani waxay ahayd mala-awaalidda sidii uu jeclaan lahaa.

Gabaygan iima saxsaxna. Qaladaad badan oo xagga miisaanka ah ayaa ku jira. Qaar badan meesha ayaan ka saaray, qaarna waxan ku sameeyey sixsixitaan xagga higgaadda iyo miisaanka ah. Laakiin macnaha ma taataaban.

16.2 EREY-FURKA GABAYGA

17. SEBEN COLAADEED

18.Saraayaa la sheegsheegayaa, Seben colaadeede
19.Sufur aan la eegaynin bay, keentay samadiiye
20.Dunidaa sideedii ku noqon, saaka haw filine
21.Siidhiga hortii baan la bixi, suubantaan rabaye

17.1 FAALLAYNTA GABAYGA

Gabaygan wax badan lagama hayo. Waa markii Cilmi dhul-yaalka noqday. Waxad mooddaa in uu tibaaxayo colaadihii adduunka ka oogmay ee dagaalkii labaad ee adduunka. Wararkaa colaaduhu isaga waxay ku ahaayeen uun dheg-ka-maqal. Laakiin isagu wuxu ku taamayey in ay fursaddu u saamaxdo oo uu kaxaysto Hodan.

17.2 EREY-FURKA GABYGA

Saraayo: dareen dhibaato, dhibaato weyn, qaasaawasalan
Siidhi: Qalab yar oo la afuufo si askarto isugu diyaariso fal cusub. Sidoo kale subaxnimada horena waa loo adeegsadaa.

18. GARDARRIYAA MAXAAN HODAN CABDAAY

1. Intaan adiga kugu gooni ahay, geed haddaan la hadlo
2. Ama aan gawaan qodayo may, gama'sanaateene
3. Gaaladu ha joogtee sidaa, gacal ma yeeleene
4. Gardarriyaa maxaan Hodan Cabdaay, kaaga go'i waayey

5. Sidii aad go'aygii tihiyo, macawistaan goostay
6. Ama aad godkii aakhiriyo, geeri iga baajin
7. Ama aan geyiga lagu ogeyn, gabadh kaloo joogta
8. Gardarriyaa maxan Hodan Cabdaay kaaga go'i waayey

9. Gadiidkii an toosaba adaan, kuu guntanayaaye
10. Goobtaan istaagaba dhulkaan, godad ka jeexaaye
11. Sidii aad gidaar tahay maxaa, kaa i garab taagey
12. Gardarriyaa maxaan Hodan cabdaay, kaaga gu'i waayey

13. Guunyana gammaan kolay ku tahay, gurigi joogteeye
14. Mana guursan kari waayinoo, geesi baan ahaye
15. Adaan kaa gungaadhaayeyoo, helay geddaadiiye
16. Gardarriyaa maxaan Hodan Cabdaay, kaaga goi waayey

17. Haatanse waan guursan haddii, guulle ii wacaye
18. Oo weliba gedahaa ka dayan, gobolladiiniiye
19. Iyadoo gabiib u eg markaan, guga kaxaynaayo
20. Ee aan Gahaydhliyo la tago, gubannadii hawdka

21. Ee aan ganuunka ugu shubo, Gooha labankeeda
22. Gibladiyo cayaaraha markuu, geeljiruu tumayo
23. Ha gayoobin waataad lahayd, gool jabaan helaye

18.1 FAALLAYNTA GABAYGA

"Gardarriyaa maxaan Hodan Cabdaay kaaga gu'I waayey." Waa gabay Cilmi uu kula garnaqsanayo Hodan iyo naftiisa labadaba. Dhinacna wuxu u baanaayaa Hodan oo uu leeyahay, waxan igu kaa qasbayaa ma aha nacasnimo iyo dan midna ee waa jacayl. Waxanu ugu hanjabayaa in uu Hadda ka quustay oo ka wareegi doono, isla markaana gabadh kale raadsan doono. Ficilkas Cilmi ku dhashay ma hirgelin, waayo maskaxdiisa, maankiisa iyo wadnihiisaba waxa ku laaqantay Hodan oo sina uga bixi wayday. Gabayada dambe ayaanay ka muuqataa in uu leeyahay: "*Waadaamii qalbiga waxa la tegay walalacdeediiye*".

Qorayaasha qaarkood waxay ku daraan beydkan soo socda gabaga:
"Ma daarahaan la hadlayaa dhagaxa duugoobay"
Ayaga oo u dhaxaysiiya labada beyd ee kala ah:
"Goobtaan istaagaba dhulkaan, godad ka jeexaaye
Sidii aad gidaar tahay maxaa, kaa i garab taagey"

Laakiin qaafiyad ahaan ayuu jabanyaay beydkaasi, sidaa darteed waan ka tuuray. Laga yaabee in uu si kale ahaa oo dad aan gabayada miisaankooda aqooni jebiyeen.

Beydka 17aad waxa loo qoraa ma loo akhriyaa siyaabo kala duwan. Waxa ka mid ah:
"Haatanse bal waan guursan haddii guulle ii wacaye"
Ama
"Haatanse guursan doonee haddii Guulle ii wacaye"
Ama
Haatanse waan guursan haddii, guulle ii wacaye

Anigu waxan doortay ta ugu dambaysa laakiin akhristuhu niyadda ha ku hayo, siyaabahaa kala duwan ee loo sheegay. Dabcan mid uun baa saxsan. Waxana dhici karta in ay jirto cid hubta sida ay ahaayeen ereyada Cilmi yidhi.

Beydka 18aad isagana siyaabo kala duwan ayaa loo soo tebiyey waxana ka mid ah:
"Oo weliba gedahaa ka Dayan, gobolladiiniiye" ama
"Oon weliba gabadh ladan ka dayan, gobolladiiniiye"

Sidoo kale beydka 22aad waxa loo soo tebiyey siyaabo kala duwan. Gaar ahaan ereyga ugu dambeeya:
"Gibladiyo cayaaraha markuu, geeljiruu tumayo" ama
"Gebiskiyo cayaaraha markuu, geeljiruu tumayo"
Markaa aniga waxa ila saxsanaaday *"Gibladiyo cayaaraha markuu, geeljiruu tumayo"*.

18.2 EREY-FURKA GABAYGA
Gawaan: dhul dirri ama didib ah oo adag

Gadiid: duhur, wakhtiga kala badha kelinka hore iyo gelinka dambe

Guunyo: Xoolo nool

Gammaan: Fardaha iyo dameeraha

Gedahaa: Noocaaga, wax kuu dhigma

Gabiib: meel carro san ah oo aan bahal hoose iyo dulin midna lahayn

Gahaydhle: waa meel hawd ku taalla magaceed

Ganuunka: Dhiilka, hadhuubka

Gooha: Magac loo bixiyo neef geel ah

Giblo: Ciyaar dhaqameed

Gayoobid: waantoobid

19. WADAAMII QALBIGA WAXA LA TEGEY

1. Hooyaalayeey gabayga waa, lagu wanaajaaye
2. Anna waayirkiisaan ahee, waano iga qaata
3. Weegaarka cadi waa indhaha, walalac beenaade
4. Waxku-araggu waa wiilka oon, waayo kaa heline
5. Addinkoy wax gaaadhaanna waa, loo wakinayaaye
6. Weheluhu baddooy kala tagaan, wiiqan ubadkiiye
7. Walaxdii dhinnaataaba way, kaa weyrixisaaye
8. Weris baa wuxuu wed iga helay, ila wacanayde
9. Iyadana wadeecada adduun, wiil kalaw baxaye
10. Wadaamii qalbiga waxa la tegey, wililigteediiye
11. Intay waaninaysan dhulbaan, weel ka gurayaaye
12. Waa lay warramayaa dadbaan, weeye leeyahaye
13. Waxakani wareer iyo ka badan, caashaq waaxidahe
14. Walaalooyinow waxan ka biqi, inan ku waashaaye
15. Markan inan wareegaan damcoo, webiga jiidhaaye
16. Wiirada ragiyo baan ka tegi, wadhida naagaaye
17. Waddankeeda Soomaali waan, sii waddacayaaye
18. Wuxu Eebahay ii waciyo, waa-danbe aan dhawro

19.1 FAALLAYNTA GABAYGA

Gabaygan waxa lagu tilmaami karaa gabaygii ugu dambeeyey ee Cilmi laga maqlo. Sababtoo ah muddadii dambe ee uu sariiryaalka noqday marka loo yimaaddoo

ee laga waraysto xaalkiisa, inta uu aamuso oo samada fiiriyo cabbaar ayuu odhan jiray:

Intay waaninaysan dhulbaan, weel ka gurayaaye
Waa lay warramayaa dadbaan, weeye leeyahaye
Waxakani wareer iyo ka badan, caashaq waaxidahe
Walaalooyinow waxan ka biqi, inan ku waashaaye
Markan inan wareegaan damcoo, webiga jiidhaaye
Wiirada ragiyo baan ka tegi, wadhida naagaaye
Waddankeeda Soomaali waan, sii waddacayaaye
Wuxu Eebahay ii waciyo, waa-danbe aan dhawro

Beydka 6aad ee gabayga ee ah: "*Weheluhu baddooy kala tagaan, wiiqan ubadkiiye*", ma aanan fahmin macnaha ereyga "badday", waxase laga yaabaa in uu uga jeedo "hadday". Laakiin dhammaan dadkii hore u qoray amma u duubay waxay adeegsanayeen ereyga "baddooy". Beydka 9aad ee ah "*Weris baa wuxuu wed iga helay, ila wacanayde*" waxad mooddaa in ay wax ka qaldanyihiin miisaankiisa iyo macnihiisa. Weli ma helin cid si kale u saxda. Waxa hore sidaas ugu qoray Rashiid Maxamed Shabeell, buuggiisa ma dhabbaa jacayl waa loo dhintaa.

19.2 EREY-FURKA GABAYGA

Waayir: Xidid, taar,
Wiil: indhaha inta madow
Waayo: xaalad. Waxa jira waayo oo wakhti sheekgaya iyo waayo? Oo su'aal sababeed ah iyo waayo oo xaalad ah sida tan oo kale

Wakin: Dhutin yar oo addinku aanu u qaadmayn sidii caadiga ahayd

Walax: Shay, wax

Wayrax: xanaaqa neefka geela ahi xanaaqo marka uu ilmiihsa yar u baqo

Wadeeco: Wax ilaahay mooyaane aanay cid kale ilaalinayn, wax la dayacay

Wadaamo: Weel ka samaysan harag ama tayuub oo biyaha lagaga soo daro ceelasha iwm.

Wililig: bidhaan si dhakhso ah kuu hormarta oo widhwidhaysa sida hillaaca muuqalkiisa oo kale.

Wiiro: ku digasho, ku wiirsasho

Wadhi: waa erey yasmo ah oo dumarku isticmaalaan marka ay wax liidayaan.

20. DHULKA MUUNADDII

1. Dhulka muunaddii waa Makiyo, guri Madiinaade
2. Mada-daaladii wa inaad, Yurub mushaaxdaaaye
3. Maaamuus jabkii waa intuu, madawgu joogaye

4. Gabadh muunadeed waa inay, mehersanaataaye
5. Mada-daaladeed waa inay, maqasha gadhaaaye
6. Maamus jabkeed waa markay, debedda meertaaye

7. Adhi muunaddii waa inaad, mulug xaraysaaaye
8. Mada-daaladii waa inaad, tiro mihiibtaaaye
9. Maamus jabkii waa markaad, maro ka waydaaye

10. Lo'da muunadeed waa inuu, mayay ku daacaaaye
11. Mada-daaladeed waa inay, dooxo mirataaye
12. Maamus jabkeed waa markay, milic tubnaataaye

13. Geeela muunaddii waa inaad, boqol mihiibtaaye
14. Mada-daaladii waa inaad, sidig ka maashaaye
15. Maamus jabkii waa mid aad, raratood waydaaaye

16. Ragga muunaddii waa inuu, diinta mariyaaye
17. Mada-daaladii waa inuu, gole ka muuqdaaaye
18. Maaamus jabkii waa markuu, dirir ka maagaaaye

19. Nafta muunadeeed waa inay, mahad ku waartaaye
20. Mada-daaladeed waa inay, maranti haysaaye
21. Maaamus jabkeed waa sidaa, maanta aan ahay

20.1 FAALLAYNTA GABAYGA

Gabaygan maan helin sababtii uu Cilmi-boodhari u tiriyey. Laakiin waxa ka muuqda in uu quus iyo niyad jab ka qabo xaaladda guur la'aaneed ee ay badday jacaylkiisii la seejiyey. Bal u fiirso:

"Nafta muunadeed waa inay, mahad ku waartaaye
Mada-daaladeed waa inay, maranti haysaaye
Maaamus jabkeed waa sidaa, maanta aan ahay"

20.2 EREYFURKA GABAGA
Muunad: Qurux
Madadaalo: maararrow,
Maamuus: Sharaf
Maka: Magaalada barakaysan ee Makka al-mukarrama
Madiina: Magaaladii Nebi Muxammed ee Al-madiina
Mulug: Xoolo badan, maal badan

KAALMAYSI

1- Ma dhabba jacayl waa loo dhintaa? ; Rashiid Maxamed Shabeele (Muqdisho 1975)

2- Heart of a Stranger/The Epic Love Elmii Bonderii; Margaret Laurence (Canada 1976)

3- A tree of poverty ; Margaret Laurence (1954

4- Mohamed Farah Abdillahi and B.W. Andrzejewski, "The Life of 'Ilmi Bowndheri, a
Somali Poet Who is Said to Have Died of Love," 1967

5- Halqabsiga jacaylka: Ibraahin Maxameddeeq Ciise (Nairobi, 2001)

6- Cajalad lagu duubay gabayada Cilmiboodhari qaarkood oo uu duubay Xaaji Wareer (1970-naadkii ilaa 1980-naadkii)

7- Booqashadii labaad ee aan ku tegay Berbera; Dr.Georgi Kapchits

MAHADNAQ

Mahad waxa iska leh, Allaha i karsiiyey in aan mar kale ka faraxasho, qabyo-tirka dhaxalka dhaqan ee ummadda Soomaaliyeed oo wax badani kaga dayacmeen qoraal la'aan. Al-xamdulillaah!

Waxa kale oo xus iga mudan laba saaxiib oo qaali igu ah oo midna igu sheego macallinkiisa midna aan aniga macallinkayga ahaa. Dabcan waa dhinaca suugaanta qoran amma aan qornayne. Waxay kala yihiin:

1- Abwaan Axmed Colaad Digaale (Abwaan Qorane) oo iga kaalmeeyey sixitaanka gabayada Cilmiboodhari, miisaan ahaan iyo midho ahaanba

2- Qoraa Muuse Maxamuud Ciise (Muuse-dalmar) oo si weyn isugu hawlay soo ururinta halqabsiyada abwaannadu ay ku halqabsadeen jacaylka Cilmiboodhari.

3- Garyaqaan Cabdiraxmaan Xasan Nuur

4- Qoraa Saddaab Xuseen Carab oo gacan ka geystay samaynta jeldiga buugga

BUUGAAGTA HORE U SOO BAXDAY EE
QORAAGA